南極海調査捕鯨　航海記

まえがき

ドクトル太公望こと萩原博嗣さんが、二〇一五年、海上保安大学校の航海練習船「こじま」に医務官として乗船し、百一日間の世界一周航海を体験したことは、前著『ドクトル太公望の世界周航記』（二〇一九年刊　芸文堂）に詳しい。

太公望呂尚は、渭河のほとりで鉤《つりばり》を付けない釣り糸を垂らしながら、殷の滅亡を計る戦略を練った。われらがドクトル太公望は、鉤を付けた釣り糸で鯛を釣りながら、ひそかに大きな野望を夢見ていたのである。その野望とは、潮吹く魚を釣り上げること。

呂尚に殷攻略の機会を与えたように、天は、ドクトル太公望にも、長年の夢がかなえられるチャンスを与えた。すなわち『ドクトル太公望の世界周航記』刊行の翌年末、この著書が機縁となって、萩原さんは調査捕鯨船に再び船医として乗り組み、今度は、南極海で捕鯨の現場に立ち会う運びとなったのである。

世界周航の時は、寄る港々で歓迎の祝宴を受ける旅だった。捕鯨船の場合そうはいかない。南半球の国々はどこも捕鯨反対の国で、捕鯨船は寄港することも、姿を見せることもままならないのである。

捕鯨船に一歩乗り遅れた萩原さんは、ジャカルタからロシア船籍のタンカーに乗り、そのタンカーが南極海で調査捕鯨船に給油するとき、文字通り綱渡りで捕鯨船に乗り移ったのである。

本書には、その二十日余りのロシアタンカーの旅と、捕鯨船日新丸における捕鯨の二ヵ月の体験が活写されている。萩原さんはもともと、人好き、酒好き、食べ物好き。この人の書きものには、いつの間にか濃厚な生活味が漂ってくる。ルポルタージュを読むつもりで読んでいて、いつの間にか小説を読んでいるような面白さに引き込まれてしまうのは、萩原さんの芸というしかない。

ほか、収録したエッセイはいずれも面白い。「佐世保近郊の地形を楽しむ」は、一枚の絵から佐世保市街の骨格を浮き彫りにしたもの。さすが長年レントゲンを眺め続けてきた人だと感心した。「反捕鯨の構造」と「さらばＩＷＣ」は捕鯨船上での勉強の成果。われらがドクトル太公望は勉強する人でもあったのだ。

二〇二一年　初秋

小西　宗十

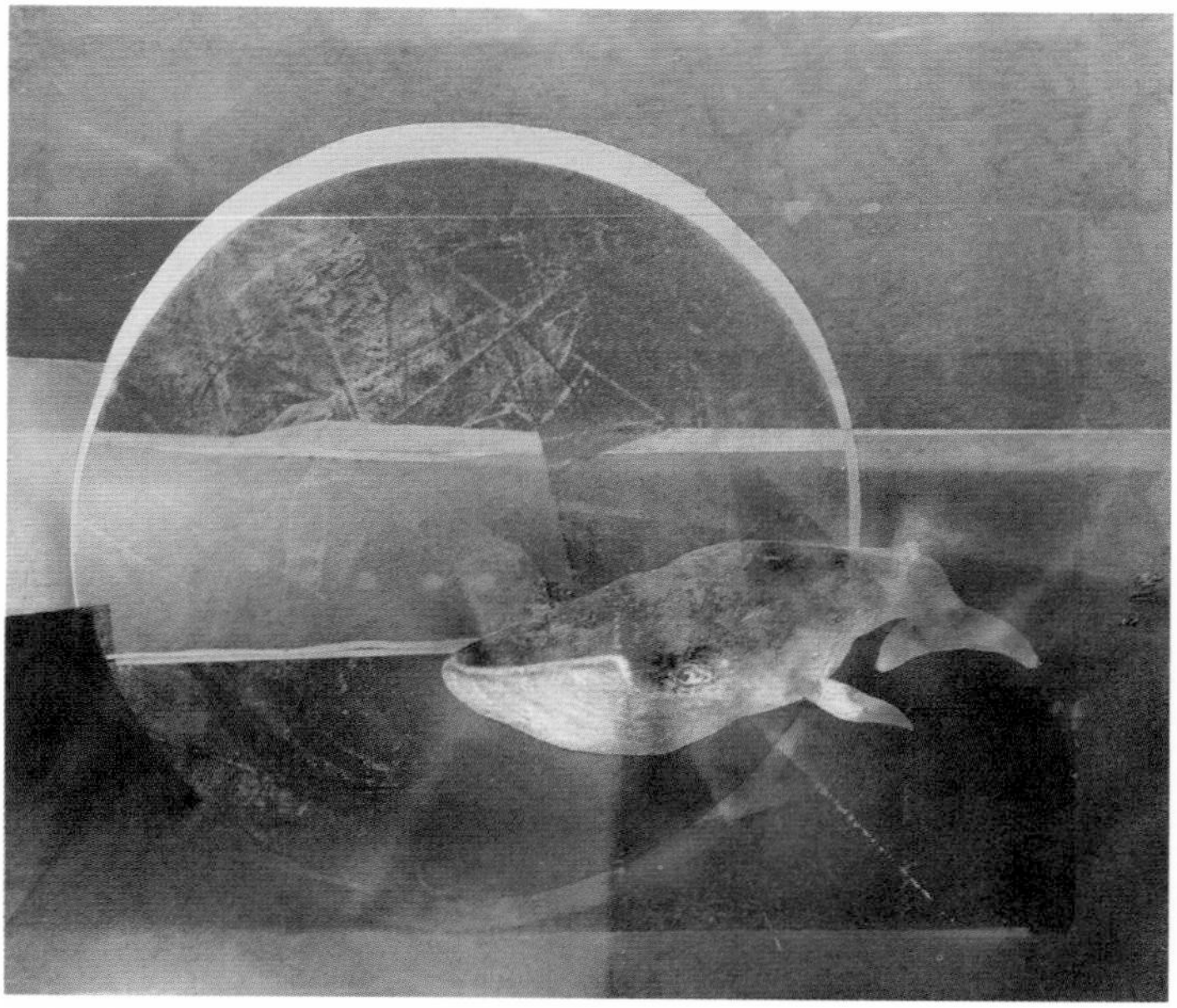

もくじ

装画・装丁・カット　大石　博

一、南極海調査捕鯨　航海記

――新鯨類南極海科学調査計画二〇一八／一九
捕鯨母船 日新丸 船医の航海記――

ジャカルタ　―二〇一八年十二月九日―

朝の交通渋滞を避けるために午前五時にジャカルタ市内のホテルを出発し、高速道路を西に向かった。この街の渋滞の凄まじさには懲りている。

小型のバンにはインドネシア人の運転手の他に三人が乗っていて、大きなトランクが三つと段ボールの箱が五個ばかり積んである。そのうちの二箱はジャカルタのスーパーで仕入れた地元産のビンタンビールのケースだ。後ろのシートの二人は三等機関士のIさんと船医の私で、これからタンカーに乗り移って南極海の捕鯨船団まで運ばれることになっている。車の向かう先はタンカーが停泊している筈の港なのだが、案内役のHさんも初めて行くところらしい。

二時間近く走って、車は高速道路を下りて建物の並ぶ二車線の舗装道路を少し走り、やがて海岸線に沿った田舎道に入った。日本の松とは枝ぶりの違った、熱帯性の松が道沿いに沢山生えている。十二月といっても気温は年中変わらず、この国にあるのは雨期と乾季ばかり、今は雨期の始まりで、そういえば昨日も夕方にひとしきり雨が降っていた。そうか、そもそもここは既に南半球なのだった。

砂地の上に敷いてあるレールがところどころ見え隠れしている。踏切を通った時に一部は埋まっているように見えたが、ディーゼル機関車の汽笛らしい音が聞こえるところを見ると使われている線路らしい。まだ朝の時間なのに、何をしているとも知れないような人が歩いたり座り込んだりしているのが散見された。

板切れを打ち付けた壁にトタン屋根を載せたばかり、といった体の小さな家が点在する道をしばらく走ると港の入口に着いた。

人気のない道路がいかめしい鉄製の門扉で遮られていて、港の区域は高いフェンスで囲われている。離れたところの番小屋に守衛らしい人影があり、許可がないと入れないらしい。待ち合わせの相手方は来ておらず、ここで二時間ばかり待たされた。インドネシア時間というわけだろう。

石壁の上の看板に記されている文字は「Port of BANTEN」。後で分かったことだが、港町バンテンは十六世紀ごろに栄えたバンテン王国の古都で、かつてはジャワ島で最大の交易港であったそうだが、そんなことはこの時には知る由もなく、ただ殺風景な場所と感じるばかり。フェンスの向こうには巨大なガントリークレーンが並んでいるのが見えている。周りを散歩するのにも飽きて車のシートを倒してもたれ込み、慌ただしかったこの三週間のことを思い返していた。

突然の電話

十一月中旬の火曜日、私の勤める佐世保の病院に、東京の船会社から電話がかかってきた。初めて聞くその会社の名前は「共同船舶株式会社」、電話の主はその会社の重役を務める人物である。

「こちらは水産庁から委託を受けて南極海で調査捕鯨をやっている会社ですが、船医を探しています。急な話ではありますが捕鯨船に乗っていただけませんでしょうか」

「ええっ、なんでまたそんな話が私のところに来るんでしょうか」

「実は当初乗船する予定の船医が、出航間際になって事故があって乗れなくなったのです。急なことで代わりを探しても見つからず困っておりましたところ、あなたが書かれた

『ドクトル太公望の世界周航記』という本をインターネットで手に入れて読んだ者がおりまして、この人なら乗ってくれるかもしれないということに・・・」

この私の書いた本というのは、三年前に海上保安大学校の航海練習船の臨時船医として世界一周航海に帯同したときの体験をまとめた手記で、本にするには分量が足りない埋め草に、江戸時代の肥前生月島の勇壮な鯨捕り漁師達のことなどを書いたりしたのが目に留まったものらしい。

それで、「乗船の期間は十一月末から三月末までの四ヵ月、反捕鯨団体の妨害を避けるため船団は終始無寄港で、あなたには近く韓国の釜山から出航予定のロシアのタンカーに乗っていただきたい・・・」

そんな事をいきなり言われてもこっちも混乱しますよ、「ちょっと待ってくださいよ、少し考えさせて下さいね」とりあえず言えるのはそれくらいで、その翌日から電話でのやり取りが続くことになった。

この時私は六十八歳、すでに定年退職して、嘱託契約で整形外科の勤務医をしている身である。来年にはそれも引退して、ある身体障害者施設の診療所の医師として働く約束になっていた。それが三ヵ月ほど延期になっても、前任の診療所長にしばらく残ってくれるようにお願いすれば何とかなりそうではあった。

それにしても一番訳が分からないのは、なぜロシアのタンカーと韓国の釜山が話に出てくるのか、だが、実は船団（捕鯨母船とキャッチャーボートなど付属船五隻）はすでに船医なしで見切り出航しており、もうすぐ南極海に到達するのだそうだ。タンカーは船団を追ってこれから釜山を出港して南極海に向かうので、それに便乗して給油の際に捕鯨母船日新丸に乗り移ってもらいたい、という話なのだった。タンカーがロシア船籍なのは、たまたま傭船料が安かったからで、釜山で油を積むのも経費の関係。

何回か電話のやり取りをするうちに、気持ちはすっかり行く方に傾いていて、一度面談をすることになった。電話をくれた重役さんと労務担当社員のＨさん（東京水産大学出身剣道五段）が福岡まで出向いてきてくれた。

事務的な話の合間に、前から気になっていることを聞いてみた。

「それにしても半年近くも無寄港、重油以外は補給もなしで、乗り組みの人たちのストレス対策はどうなっているんですか？」

答「それに耐えられるのがプロの船乗りなのです」

「・・・・」

船員手帳というものを、至急取得するように言われた。これは旅券に準ずるもので、船員保険など船会社の社員としての身分保障に必須だという。住民票、写真、健康診断書などをそろえて海事事務所で発行してもらう。三年前に海上保安大学校の航海練習船で世界周航をした時は不要だったが、あれは役所の船だったからだろうか。

この頃には妻もあきれ顔をするようになっていて、反対されることはない。しかし、それ以外にも乗り越えなければならないハードルがいくつかあった。

一番問題なのはすでに入っている手術予定をどうするかだ。中でもMヤンの手術がある。Mヤンは鹿町中学校の同級生で、大工の徒弟奉公に入って十年後に独立し、ひとかどの棟梁になっていたのに悪性関節リウマチに冒され、私が両方の股関節、膝関節の人工関節置換術をした男だ。「二十年後には再手術の必要があるかもね」と言っておいたら、本当に二十年で股関節にガタが来た。チョイと厄介なので手術が終わらないと身動きがとれないのだが、これは予定を繰り上げて無事解決した。

あとのもろもろの不義理は頭を下げて勘弁してもらうしかないが、三年前にも同じことをやったことがあるから、大抵はあきらめて又許してくれるだろう。もともとそんなに当てにされてもいないということか。

こうして話はどんどん進んで、あっという間に後戻りできないことになってみると、色々心配なこともでてくる。船医の仕事は三年前にもやったことがあるから何とかなるにしても、南極海に着くまでの一ヵ月、朝からウォッカで酔っ払っているようなロシアの船員達と、船中唯一人の異邦人としてうまくやっていけるだろうか、言葉も通じないのに。第一食い物はどうするんだ、ロシアの黒パンと脂っこいものばかりじゃもたないよ。

この「朝からウォッカ」というのは、行きつけの店でロシアの船のことをぼやいていたら、昔外国航路のコックをしていた経験のあるマスターに「聞いたところじゃ、ロシアの船員は大抵が大酒のみで、朝からウォッカ飲んで酔っ払っているのもいるらしいですよ」と吹き込まれた与太話なのだが。

ロシア船に乗らずに済ませようというのなら、南極海の最寄りの港まで飛行機で行って、そこから船団に乗り移るという手があるんじゃないか。ところが南アフリカも、オーストラリアも、ニュージーランドも皆反捕鯨国で捕鯨船の入港は一切認めないし、それにどこの港も調査海域からは往復十日以上かかる距離だからとても無理だと分かった。

そこで会社が捻りだした実現可能の妥協案が、ジャカルタまで飛んで、近くの港からタンカーに乗るという案だった。これだとロシア船に乗る期間は十日ほど短くて済む。それにタンカーには日本語の上手なアズマさんというロシア人が乗り組んでいて、言葉の不自由はないという。

「遅くとも年内には日新丸に移れますから、二十日ほどの辛抱です」。仕方がない、それで手を打つことにしよう。

ジャカルタへ

出発は十二月六日、羽田発ガルーダ航空便と決まった。前の日、月島の豊海水産埠頭にある共同船舶株式会社に出向き、社長さん以下の方々に挨拶する。この会社は、かつて南氷洋捕鯨を盛んに行っていた大洋漁業、日本水産、極洋捕鯨の三社が捕鯨規制が強まったのを機に合併してできた「日本共同捕鯨株式会社」の流れを汲む会社なのだそうだ。現在は日本政府が鯨類科学調査を委託している「日本鯨類研究所」の事業の為に持ち船と乗員を提供し、調査の副産物である鯨肉の処理と販売を請け負うのが業務となっている。もっとも研究所と会社に分かれてはいるものの、この二つの組織が一心同体であることは、所在地が同じビルの中の上と下になっていることからも明らかだ。

急遽取得した船員手帳をはじめ諸々の書類を提出する。四ヵ月も航海するにもかかわらず無寄港だから、パスポートは不要だった。三年前の世界周航の時には、出国する際に船に持ち込む酒たばこ類は免税で、酒の注文リストまで自宅に届いて感激したのだが、パスポート不要ということは免税措置もなしである。もっともこれは船に乗り組む場合の話で、飛行機で出発する当方には関係ないことなのだが。

酒といえば、四ヵ月間の酒の工面をどうするかは私にとって大問題だった。何しろ新聞の休刊日に合わせて年に数回もうけてある休肝日を、やっとのことで守っているような男なのだ。船に乗り込む時にインドネシアで購入できれば良いのだが、かの国は回教国でビール以外の酒類は入手困難らしい。結局ジャカルタまで同行してくれる社員のHさんに、酒の荷物の飛行機への持ち込みを助けてもらうことになった。自分で運べるなら問題はないのだが、こちらも他の荷物で手一杯だからとてもその余裕はない。愛飲している壱岐焼酎「雪洲」の一升瓶をケースで取り寄せ、二リットルのミネラルウォーター六本入りの箱に詰め替えた。これを四ヵ月で割ると一日一〇〇ミリリットルになる。トホホの思いだが、十二キロもある箱を運んでもらうのだから、これ以上贅沢は言えまい。

ロシア船には一人で乗るものと覚悟していたのだが、幸いなことに、Iさんというもう一人の同行者があった。聞けば、キャッチャーボートの機関士の一人が出港早々下船することになり、その交代要員として以前乗船経験があるIさんが頼み込まれて乗ることになったとのこと、急遽駆り出されて南極海まで送り込まれる事情は私と全く一緒なのだった。

三人連れで到着したジャカルタでは二日ほど予備日を取ってくれたので、束の間の観光気分を味わうことができた。到着早々のホテルまでの道中では一時間以上一寸刻みで進む渋滞に出迎えられたが、着いたホテルは一寸古い建物だけれどサービスはよく、なかなかの豪華さだ。朝食のビュッフェの果物はマンゴー、パパイヤ、パイナップル、初めて食べたマンゴスチンとスネークフルーツなど、どれも新鮮で素晴らしく美味だった。

渋滞時間を避けて、タクシーで数カ所の観光地を回る。港の近くにバタビア植民地時代のオランダ東インド会社の重厚な木造建造物が残っていて、見応えがあった。かつて長崎の出島にやってきたオランダ船はここを根拠地としていたのだ、と思えば感慨深いものがある。

ぼったくりに遭わなければタクシー代は安いし、ショッピングセンターを覗いてもサービスする従業員の数が多く、人手が余っている感じがある。エレベータには専属のオペレータが付いており、ビールをケース買いしたら若い従業員が台車を押してホテルまで届けてくれた。

ただしこの人口一千万の巨大都市には身近に使える地下鉄も山手線もなくて、一旦渋滞に巻き込まれると、ただ耐えるしかない悲惨な缶詰状態となる。それが日常茶飯のことらしく、これに懲りてホテルで過ごすのが一番快適、というのでは観光産業の立つ瀬はないだろう。最近首都機能を移転する計画があると日本のニュースにも出ていたが、実現できるものなら是非そうした方がよいだろう。

二日間はあっという間に過ぎて、出発前夜はホテルで持参の壱岐焼酎を開けて船出の前祝いをやった。三人とも大上戸で、今のところはまだたっぷりあるので気前よく痛飲し、次の朝は二日酔いながら五時起き、Hさんに引率された二人は港に待つロシアのタンカーへと向かったのだった。

出航　―ロシアのタンカー―

すっかり待ちくたびれた頃に、沖のタンカーまで我々を運んでくれる船の五人ほどのクルーが現れた。Hさんの話では、彼らはインドネシア海軍のスタッフで、今日は日曜日なのでアルバイトでこの手間仕事をひきうけているのだという。本当かな、Tシャツや派手なジャンパーなどを着こんでいるこの連中はとてもそんな風には見えなかったけれど、岸壁に迎えに来た船はオレンジ色に塗装された五〇トンほどもある立派なタグボートだった。

波を蹴立てて十五分ほど沖合に進むと、やがて目的のタンカーが近づいてきた。四，〇〇〇トンというから外航のタンカーとしてはそれほど大きいほうではない。船体は緑色に塗られているが、最後の修理から永い時間が経っていることを窺わせるように、あちこち赤錆が浮いている。デッキの床とパイプ部分は赤、建屋部分は白、大きな煙突が黄色なのがアクセントだ。日本の船ではまずお目にかからない配色だろう。あとでよく見たら煙突にはシロクマの絵が描いてあった。油を満載しているから中央甲板は海面に近く、タグボートの防舷材の上に足をかけて乗り移るのは簡単だった。

甲板で迎えてくれた小柄な金髪の青年が日本語で話しかけてきた。「お疲れ様です、船医の先生ですね、私はアナトーリと申します。お部屋までご案内しますので」この人が話に聞いたアズマさんか、なるほど達者な日本語だ。甲板員が荷物を運んでくれる。白ちゃけた毛の短い大型犬が走り回って、見慣れぬ私達に吠え付いて甲板員に叱られている。ここでHさんとはお別れだ。なかなかハンサムな洒落男ながら、海員らしい野生味も備えた面白い人だった。

沖まで運んでくれたボート

ロシアタンカー：エベキノート

荷物を部屋に置いて、ブリッジに上がって船長と居合わせた人たちに挨拶する。赤ら顔の大男の船長が笑顔で迎えてくれる。二等航海士は小柄な老け顔の男、英語で「年は幾つか」と聞いてくるので「六十八」と答えると、「私は六十七だ、この船では一番年上、名前はウラジミル」と握手を求めてきた。当方は頭が薄いうえに白髪と来ているので、自分より年寄りが来たと思って嬉しいのかな。船長以下、皆半そでシャツにショートパンツ、サンダル履きというういで立ちで、制服などはないらしい。

私にあてがわれた船室は三階構造の居住区の一番下の最後尾の部屋、普段は使われていないらしい畳四畳分ほどのスペースにベッドと長いす、小さなテーブルがある。その他に場所ふさぎのタンス、壊れかけた簡易ソファがあり、ビニール材の床は波打っている。鉄のドアを開けてみたら、狭いながらトイレとシャワーはちゃんとついていた。長椅子の下にはミネラルウォーターと炭酸水のボトルが沢山置いてある。

窓際に大型掃除機くらいの大きさの白い家電風のものが縛り付けてあって、そこから伸びた蛇腹式のダクトが窓に開けた穴に差し込んである。これは日本では見ないタイプのロシア製のエアコンなのだった。部屋の天井に通気口があるが、これは暖気専用。ロシアの船だからか、船内の通気システムには元々冷房機能は無くて、各部屋の冷房はすべて後付けされたものだ。この部屋にも人が入ることになったので急遽置いてくれたようだ。

居候の分際で贅沢は言えないが、机と椅子が無いので書き物がままならないのには困った。仕方ないので、食堂の横にあるサロンにパソコンやノートを持って行って、そこの机とソファで過ごす時間が長くなった。

部屋で荷物を整理していたら、アナトーリがシーツ、毛布、タオルと、韓国で積み込まれていた荷物を持ってきてくれた。一つの箱には調理済み白米パックがぎっしり入っている。ロシアのパンは口に合わないかもしれないと散々心配したので、それでは、ということで積み込んでくれた韓国製の米の飯だ。ササニシキ級の上等の飯だったが、これはI君に分けても結局大分余った。この船のコックが作るパンは美味しかったし、炊いた米も時々供されて、しかもそれがなかなか結構だったのだ。

船は一時間ばかり暖気運転をして、やっと動き出した。ジャワ島とスマトラ島の間のスンダ海峡には富士山を急峻にしたような形の島がいくつも見える。後日インターネットで調べてみたらこの辺りは活発なことで有名な火山地帯で、十九世紀の終わりにはクラカタウ島という大きな島がほとんど吹き飛ぶような歴史上最大級といわれる大噴火があり、津波で数万人が亡くなっている。

航海中にアナトーリに知らされて驚いたのだが、我々が通過した十三日後にスンダ海峡で大きな地震と津波が起こって、辺りの海岸は大被害を受けたのだそうだ。バンテン港は

時速10ノットで進む毎日

壊滅的、と報道されているという。半月ほどの差で危ないところだったのだ。

インド洋

海峡を抜けてインド洋に入った途端に船は大揺れになった。これからオーストラリアの西方沖を南西に向けて十ノットの速度で進んでいく二十日間余り、島影はおろか船の姿も全く見なかった。思えば我々以外に南極に向けて走る船などあるわけがないのだ。もしあればシー・シェパードの妨害船だろう。

この船の生活時間は母港のウラジオストク時間で通しているので、時計のインドネシア時間を二時間ほど戻した。この時はまだ問題はなかったのだが、この後西に行くにつれてどんどんおかしなことになって、終いには経度時間が六時間以上船の時計から遅れることになり、ウラジオストク時間で出る朝食は真夜中、夕食は真っ昼間というありさま、それでも平気な顔をしているのだからロシア人も強情だ。

この船の乗員は十五人、それに便乗者の我々二人を入れて十七人分の食事を、マキシムという四十歳くらいのコックが一人で賄ってくれている。毎日三度、一日も休まず黙々と続けているのだから大変な働き者だ。もの静かな男で、不機嫌な顔や疲れた様子を見せたことはなく、料理も毎日目先を変えてなかなか内容豊か、この船の食事には乗組員たちは皆大いに満足しているようだった。

三度の食事時間はそれぞれ決めてはあるが、数人が一緒にテーブルを囲むことはむしろ稀で、各人が好きな時に摂ってよいように、幾つかのトレイや鉢に人数分が用意してある。定番のスープは、細切れ野菜と馬鈴薯とベーコンがたっぷり入った深鍋が、士官クラスと船員用に分かれた二つの部屋のテーブルにそれぞれ置いてある。食事の内容は船長も船員も全く同じで、テーブルには外にパン、ラスク、ジャム、バター、調味料などが置いてある。パンは数日ごとに作る事になっているようで、殊に焼きたてはおいしかった。調味料の中には胡椒やソースなどの外に、ロシア語で「わさび」と記されたチューブがあって、意外にもわさびは彼らに人気のスパイスなのだった。

お好みの飲み物は圧倒的に紅茶。さすがにロシア名物の湯沸かし器、サモワールは置いてなかったが、電気湯沸かしポットのそばにはリプトンのティーバックがレモンスライス、砂糖、蜂蜜を添えて並べてある。ロシアの小説によく出てくるように、紅茶にジャムをタップリ入れるのもお好みのようだ。冷蔵庫には桃や杏のジュースとミルクも入っている。

彼らの好物は案の定、脂身の多い肉料理で、スープにも野菜料理にも脂がたっぷり使ってある。肉は牛、豚、鶏、ベーコンとふんだんに用意されているようで、中でも羊肉は特別の御馳走とみえて、これが出ると皆喜んで食べていた。魚料理もたまに出たが、さばき方が悪いのか、生臭くて口に合わないのが多かった。

意外にも米は常食の一つであるようで、日本で食べるようなジャポニカ米のご飯が出されるし、スペアリブの炊き込みご飯などというメニューもあった。彼らが本場のキムチの、熟成した酸っぱいのを平気で食べているのには一寸びっくりした。ロシアの極東地域には中国人や朝鮮族が多く住んでいるのでその影響であろう。その他にも、人参と大根の千切りなます、ゼンマイのナムルや山菜スープもあったし、年越しパーティーの時に皆で作った餃子に到るまで、オリエンタル料理は彼らのふるさとの味になっているようだ。

マキシムが提供してくれる食事は、出発前に心配していたよりずっと受け入れやすくて助かったのだが、それでも毎日脂濃いロシア式では胃がもたれてくる。持参のレトルト食材や、韓国製米飯パックで時々日本食の息抜きをさせてもらった。食堂に電子レンジが置いてあるし、持参の広口電気ポットでうどん、そば、ラーメンなどの麺類を煮ることもできる。レトルトカレーやパックされた惣菜は味も本格的で、まことに重宝なものだ。

アナトーリと食堂で一緒になったときに聞いたところでは、「アズマさん」というのは、ロシア語のアナトーリという言葉に東方という意味が含まれるので日本ではそう名乗っているのだそうだ。彼の日本語の会話能力は並外れていて、敬語も見事に使いこなし、話をしている限り外国人であることを感じさせない。まだ三十歳そこそこながら、才能の豊かさを感じさせる興味深い男だ。

ハバロフスクの外語大学日本語科を出た後、東京外国語大学に留学して、卒業後は極東で事業展開している日本の会社に就職した。今住んでいるのはウラジオストクで、新婚の妻が家を守っている。妻は韓国人で、二人は東京外国語大学の同級生、彼は朝鮮語を話せず、妻はロシア語が不得手なのでお互いは日本語で話すのだそうだ。道理で日本語が自然に出るわけだ。

このタンカーは彼の会社がロシアの船会社から傭船し、共同船舶との契約で捕鯨船団への給油を請け負っている。この船に乗るのは二シーズン目で、一年目の最初の八日間は船酔いで死ぬ思いをしたものの、それ以来全く酔わなくなったそうだ。

彼は雇い主側の社員として船の運航を指図する立場にあるのだが、船内では通信士を兼任し、よく働いて他のスタッフに対しては謙虚に接しているように見える。コンピュータの操作能力もプロ並みで、通信士ができるくらいだから、メカニック全般に通じた頼もしい存在だ。別に軽んじて言うわけではないけれど、この程度の仕事にこのように優れた人材が就いている、というところにロシアの底力を見る思いがする、と言えば大げさ過ぎるだろうか。

心強い日本人同行者となったI君はガッシリした体格の三十二歳、下関出身で三歳の娘がいる。彼の船室は私の部屋の反対の右舷側で、廊下のドアを出れば後方デッキを歩いて十歩ほどでたどり着く。ロシア製エアコンは品切れだったと見えて、彼の部屋にはないので、熱帯の夜は眠れるだろうかと心配していたが、そのうちボースンが扇風機を取り付けてくれたので大分楽になった。エアコンがない代わりに彼の部屋には冷蔵庫があるので、缶ビールや食材を入れさせてもらっている。夕方ビンタンビールを飲みながら、暇に任せていろいろ話した。

Ｉ君は地元の工業高校を出て造船所に勤め、その後バーを開いていたこともあるそうだ。だから年の割には世故に長けているし、人当たりがよく、もちろん酒のことにも詳しい。捕鯨船には数年前から機関部員として乗り込んでいるので、船の内実や現場の様子をよく知っていて、いろいろ教えてもらった。機関士の資格を取ったのは昨年のことらしく、事情があって今年は船を降りていたのだが、キャッチャーボートの機関士の補充の為に拝むようにして頼まれて乗る気になったのだとか、今年からは幹部待遇だから条件は悪くなかったのだろう。

周りを和ませる大らかな雰囲気を備えているのでロシアの船員達ともすぐに仲良くなって、機関室で話し込んだり、夜には誘われてウオッカを飲んだりするようになった。彼らは飲みだしたらボトル一本では済まないそうで、しかもそのウオッカは自慢の自家製、さすがのバーテンダーも宿酔で昼まで寝ていたこともあったようだ。

そういえば「朝からウオッカで飲んだくれのロシア船員」の話だが、酒は強くても、酔って騒いだり、まして朝から飲んだりする者などは一人もおらず、皆よく働くまともな人ばかりだった。これは彼らの名誉のためにも是非強調しておかなければならない。

電気技師のオレーグも印象に残る男だった。私の居室でロシア製エアコンを使うとすぐにブレーカーが下りるので、大分苦労して電気配線をやり直してくれたのが最初で、その後口内炎や腹痛の相談に、手持ちの薬を分けてやったりしたので親しくなった。二十歳台前半に見える人懐っこい男で、知っている限りの英語を使って一生懸命話しかけてくる。ロシアでも中等教育で英語を教えるらしく、士官クラスとは何とか英語で意思を通じることが出来る。

どうやら「自分はザハリンの出身だから日本のことは身近に感じる」と言っているようだ。そうか、ザハリンと聞こえるのはサハリンで、敗戦以前は南半分が日本領だった樺太のことだな。この船でもサハリン出身は彼だけで、人口の少ない島だから極東ロシアでも珍しい存在のようだ。サロンでパソコンを使っていたら、USBメモリーを持ってきてサハリンの名所旧跡の写真を見せてくれた。景色の良い所や、昔の神社や役所の建物など日本統治時代の名残が沢山写っているのを熱心に説明してくれる。

一旦仲良くなるとロシア人はとても親切で、国レベルの「ロシア」が狷介で、一寸嫌な感じがするのとは大違いだ。

今は北半球の冬なので南極海への油送に雇われているが、このタンカーは夏はベーリン

荒れるインド洋

タンカーのブリッジ

グ海峡を越え、北極海沿岸の村々に給油するのが本来の仕事で、その為にある程度の砕氷能力も備えている。I君がボースンに聞いたところによると、給油の時は送油ホースを長く伸ばして、甲板員が先端をボートで運んで村の石油タンクまで繋げるのだそうだ。なるほど、黄色い煙突にシロクマの絵が描いてあるのはそういうわけだったのか。

この船の名前はローマ字のアルファベットでは「Evekinot」。船内の廊下に張り出してある船の性能表に、ロシア文字と並べて書いてある。これはベーリング海峡に面した半島にある村の名前に因んだものだと聞いたが、発音は何度聞いても覚えられない。「エベキノート」だったかな、ブリタニカ百科事典に、エベンキ族というシベリアに分布する有力な少数民族のことが書いてあるので、きっとそのゆかりの名前なのだろう。

ベーニャは暑いのが苦手

アイドルとかマスコットと呼ぶには一寸くたびれているが、船で飼われている犬は「ベーニャ」という名前で、船尾の甲板にちゃんと犬小屋はあるのだが普段は繋がれもせず、船内の好きなところをうろついている。相当の老犬らしく、暑さには心底参っているようで、日中は歩き回る気力も失せたように甲板の日陰に寝そべっている。寒い極東からまさかの赤道くんだりまで連れてこられた気の毒さ、食堂の周りをうろついている時にスペアリブの食べ残しを投げてやったら、それ以来私にも少しは愛想良くなったようだ。

暑くてやりきれない日々は南下するにつれて一週間ほどで終わり、荒波に揺られる毎日ながらも過ごしやすくなってきた。

晴れて雲のない日の夜、ブリッジ後方の最上階甲板に上がって、月の光が煙突の影になる暗い空間に立って夜空を見上げてみた。話に聞くばかりで、まだ見たことのない南十字星とやらはどれなんだろう。明るい月が一寸邪魔だが、さすがに海の上だから満点の星々が輝いている。冬の星座オリオンは逆さまになっているが、日本で見慣れているので見当がつく。天頂の南に、ややいびつながら菱形の位置をとっている大きな四つの星をなぞることができる。他には見当たらないのであれが南十字星なのかなあ、夜風が強いので天体観測はそれでおしまいにした。あとで星座の本を見たら、「南十字座」は天の川の中の特別明るいケンタリウスのそばにある四つ星で、星座の中で一番小さい、と書いてあるので私が見たのは違っていたようだ。有名な割には案外わかりにくい星座だ。

この船では便乗者の我々には全く仕事も義務もない。かといって乗客でもないので、食事はあてがってもらえるが、掃除洗濯など身の回りの世話は勿論自分でするのである。なまじ色々世話をかけるより気楽でよい。

洗濯室においてある洗濯機は頑丈そうなロシア製の二槽式、洗剤は共用のが置いてある。初めてこの洗濯機を使った時、ちょっと量は多かったのだが、引き上げた洗濯物を脱水槽に放り込んで、スイッチを入れた途端、ゴットンゴットンと大きな音をたてて大振動が始まった。こりゃ困ったなと思っていたら、丁度通りかかった機関長のセルゲイが、チッ、チッと指を振って教えてくれた。先ず洗濯物を一旦全部取り出して、シーツ、バスタオル、シャツと、一つずつ丸い回転槽の中にとぐろを巻かせながら入れていく。そこで蓋をしてスイッチを入れれば、ぷるるーんと軽い回転音の高速回転で脱水は瞬く間に終了した。

この男は洗濯機というものを知らんのかな、という顔をされたのは一寸心外だったけれど、なるほど指摘されてみればそうなのだろう、理屈に適っている。それにしても昔大学の寮にいた時にも洗濯機は二槽式だったけれど、そんな使用上の注意はなかったなあ、それでも脱水はちゃんと出来ていたように思うのだが一体どうなっているのだろうか。

洗濯室の隣には本格的なトレーニングルームがあって、I君は既に使っているというので早速見習うことにした。立派なトレッドミル（ウォーキングマシン）と、トレーニング

本格的サウナ

ジムにあるような櫓型の筋トレマシン、エアロバイク、それにベンチプレス、ダンベル、サンドバックまである。

　そして極め付きはサウナだ。四、五人は入れる本格的なものがトレーニンブルームの横に備え付けられていて、スイッチを押しておくと一時間もせずに一二〇℃まで室温が上がる。

　暇に任せてトレーニングを毎日するようになった。一日中暇なのは我々二人だけなので、ほとんど専用に近い。最初は悲鳴を上げていた私の筋肉も徐々に慣れてきて、時間も伸びてきた。船が揺れるのでトレッドミルでのジョギングは難しいが、速足歩きを一時間、エアロバイクと筋肉トレーニングもたっぷりやって、大汗をかいた後

専用トレーニングジム

シャワーを使い、サウナに入って又シャワー、というような贅沢なことを毎日やらせてもらった。一寸申し訳ないような気分だが、折角の設備も我々以外には機関長のセルゲイと他に数人が時々使っているくらいで、宝の持ち腐れのようなものだ。何時でも使えるとなると有難味がないのかな、それとも皆あまり運動が好きでないのかもしれない。

この船は一見何の変哲もない、ただの年期の入ったタンカーのようだが、乗員の居住性には十分な気配りが行き届いている。居室は我々二人の部屋をキリとして、ピンは船長、機関長のスイートルーム、士官クラスの部屋はゆったりと十分なスペースを取ってあるように見受けたし、船員用もすべてが個室でシャワー、トイレ付である。豪華客船ならいざ知らず、サウナ室のあるタンカーなんて聞いたことがない、と、かつて造船所勤務の経験のあるI君も言っている。この船はスウェーデンの造船所で作られているので、居住性に関する感覚が日本とは違っているのだろう。

I君が言うには、日本の貨物船は外国に中古で売る時には人気がないそうだ。二人部屋や、まして大部屋などもっての外で、トイレが共用なのも相当嫌がられる。大風呂の良さは銭湯文化になじみがなければ通用しないだろう。そういえば、この頃は大学や会社の寮でもそんなのは滅多に残っていないようだ。

暇があればビールでも飲もうか、とI君と一緒にアナトーリの部屋にお邪魔した。気を遣う性格と見えて、いろいろなDVDを次々に見せてくれる。

彼の両親は実はロシア人ではなく、ウクライナ人なのだそうだ。ソルジェニーツィンの「収容所群島」の物語ほどではなくとも、旧ソ連時代には国家の命令で半ば強制的に移住を命じられることがあったようで、アナトーリの両親も幼い彼を連れてシベリアのヤクーツクへ移された。冬には平均気温零下四十三度という極寒の地である。彼はそこで育ち、両親は今もヤクーツクに住んでいる。妻を連れて帰省して、家族でダーチャと呼ばれる夏の別荘での野菜作りや養蜂を楽しむ様子を映像で見せてもらった。

彼の会社が極東で運営している水産食品加工工場のＤＶＤもある。ロシア人のおばちゃんたちが手際よく鮭の腹子を出したり、魚肉を切り分けたりしている。数の子を作っているところもあった。工場内は清潔に管理されていて、日本式の技術が行き届いているようだ。アナトーリは夏の間はその工場の管理者の仕事をしていて、冬は南極海までタンカーで出稼ぎ、というのでは楽な仕事ではない。

ちなみにイクラがロシア語だということを初めて知った。日露戦争で捕虜になったロシア兵が鮭の卵でキャビアの代用品を作ったので、加工法と食べ方が伝わったのだそうだ。


後日、アナトーリが、ロシアのテレビ局制作の先住民たちの捕鯨を記録したビデオを見せてくれた。ＩＷＣ（国際捕鯨委員会）は「先住民生存捕鯨」とよばれる特別な権利をロシアとアラスカ、カナダ、グリーンランドなどの捕鯨の伝統を持つ少数民族に対して認めている。ベーリング海峡に面したチュコト半島の少数民族チュクチの人々には、毎年コク鯨一三五頭、ホッキョク鯨五頭の捕獲枠がある。この二つの鯨種とも絶滅危惧種で、中でもセミ鯨科に属するホッキョク鯨は極めて稀少、本来はもちろん保護の対象である。ただし捕獲に当たっては伝統的な突き捕り漁法に限られ、火薬を使う捕鯨砲や銃の使用は禁止、鯨肉の取引も禁じられている。

映像は迫力満点で、強力な船外機付きのジュラルミン製の小さなボート数隻でコク鯨を追い詰めて手銛を投げて殺し、ボートで牽いて陸まで運ぶ一部始終が撮影されていた。コク鯨は死んだら浮くのでこの捕鯨法ができるのだが、船外機がなければ、小さなボートでこんなことをするのは到底無理だろうと思われる。

同じ突き捕り捕鯨でも、江戸時代に紀州の太地《たいじ》や肥前生月島などで行われた「網掛け突き捕り捕鯨」というのは、十数人もの漕ぎ手が取り付いた快速船が二十艘以上もかかって鯨をあらかじめ広げた網に追い込み、羽指《はざ》しと呼ばれる銛打が銛を投げて、仕留めたら海に飛び込んで鯨体を確保するという段取りで、海上の人数だけでも三百人以上という極めて大がかりなものであった。動力ボートのなかった、かつての先住民チュクチの捕鯨は実際にはどうやっていたのか知りたいものだ。

後でわかったことだが、彼らが使っているヤマハの高性能船外機は、日本政府が先住民生存捕鯨用に寄付したものだそうだ。ロシアのテレビ局はそのことをちゃんと報道しているのかな？

それにしてもコク鯨は三十トン、ホッキョク鯨に至っては五十トンもある大型の鯨で、これを各百三十五頭と五頭捕って良いというのは、日本の調査捕鯨で認められている五～

八トン程度のミンク鯨三三三頭と比べても遙かに多い肉の量になる。商業捕鯨は絶対に認められない、などと鯨を聖獣扱いにしていながら、一方では絶滅危惧種の捕獲を認めるというのでは、ＩＷＣの捕鯨の基準は一体どうなっているのか、首をひねりたくなるような話だ。

暴風圏通過

十二月二十一日、家からのメールが届いた。アナトーリのおかげで船の無線室経由でメールのやり取りができるのだ。日本ではＩＷＣを脱退することが大ニュースになっているそうで、ということは南極海調査捕鯨は今回が最後になるのだろうか。日新丸に着けば詳しいことが分かるだろう。

この日南緯四〇度を超えて、朝から霧がかかって全く視界が利かず波が高い。やがて雨も降りだし気温が下がってきた。二日前まで二十四℃でブリッジでは冷房を入れていたの

大荒れの暴風圏

が、今日は十五℃を下回って暖房が始まった。大航海時代の船乗り達はこんな日、さぞかし不安なことだったろう、これは暴風圏が近づいてきた兆しで、これから海は時《し》化《け》てくる。

　二日後、南緯四八度。予兆通り大時化になり、一日中どんより曇って風が強い。南緯四〇度から五五度の間の、南極大陸を周回して一年中偏西風が吹き荒れている海域は暴風圏と呼ばれ、古来船乗りから恐れられてきた。油満載のタンカーだから安定は良いはずだが、波高は十メートル近くもあり、縦揺れのためにスクリューの一部が時々水面から出て空回りに近くなる。こうなると機関室は大変で、軸受けのギアやエンジンが損傷しないように細心の対応に追われて寝る間もなくなるのだ。

逆風と波に阻まれて船速はがっくり落ちてきた。その上気象レーダーによれば南西方面に台風並みの低気圧が発生しているらしく、うまく避けて通れたらよいが、と船長は浮かぬ顔だ。

これから五日間は大揺れに耐える毎日だった。こちらは心配しても仕方がないので、せいぜい運動に励む。トレーニングルームの舷窓は喫水線から大分離れているのでいつもは開けてあるのだが、このところ密閉してあるガラス窓の上まで波が寄せてくる。

揺れている間に十二月二十四日が来た。クリスマスの祝いがあるのかなと思っていたら、ロシア正教のクリスマスは一月七日なのだそうだ。そんなものかね、ブリタニカ大百科事典をのぞいてみたら、キリスト教で十二月二十五日が祝日になったのは、もともと古代ローマの異教徒が冬至の日に行っていた太陽崇拝の祭日にキリストの降誕が結びついたのだと書いてある。日付の違いは、大多数の教会がグレゴリオ暦に拠っているのに対して、東方教会は今もユリウス暦を使っていることによるのだそうだ。まあこっちは耶蘇教じゃないんだからどちらでもよいけれど。

南極海到達、そしてロシアの正月

予定では十二月二十七日頃には船団に行き着く筈と聞いていたが、二十六日になって、アナトーリが「お知らせがあります」と言ってきた。なるべくさりげなく伝えようとしていたようだが、「会合の場所が大分南西の方に変わったので、移乗は予定より五日ほど遅れて、多分一月二日頃になるようです」

色々事情もあってのことなのだろうが、もともとの会合予定が南緯六〇度／東経三〇度だったものが六七度／五度に変わったというのだから大移動だ。少なくともアナトーリの責任ではないだろうから、訳をほじくっても仕方がない。ここは淡々と受け入れるより他ないだろう。屠蘇も雑煮もないロシア式の正月も珍しくていいか、と思うことにした。

十二月二十八日、南緯五八度に達して、長く続いた時化もようやく収まってきた。と同時に気温はぐんぐん下がって夜は短くなり、暗い時間は七時間もない。日本の暦では十二月二十二日が冬至だから、南半球は夏至を過ぎたところ、白夜が近くなっている。

年越しパーティー用の餃子作り

食堂に船員達が集まって餃子を作っている。ボースンのセルゲイが仕切って、小麦団子を麺棒で伸ばして皆に配る。餃子の餡を包むのも慣れていると見えて、なかなか板についた手つきだが、大分皮が厚く特大の餃子だ。コックのマキシムは口出しせず、にこにこして見ている。こうしてみんなで作っておいて、年越しパーティーに備えているわけだ。サロンには正月とクリスマスを祝う壁飾りや、ツリーの飾り付けがされている。

二、三日前から小さな氷塊が流れてくるのを見るようになっていたのだが、この日初めて氷山と言えるような大きな塊が現れた。船のすぐそばを通ったのでブリッジから外に出て、氷山をバックに記

初めての氷山と記念撮影

念写真を撮ってもらい、家へのメールに張り付けて送った。出航以来伸ばしている顎鬚の感想も聞いてみたい。

この後いろいろな氷山をタップリ見ることになるのだが、それぞれに形や大きさ、色が違っていて見れども飽きぬものだ。これらは皆南極大陸で数万年もかけて降り積もった雪が氷となり、海に押し出されたものだが、厚く広がった棚氷から分かれたものはテーブル状の氷山になり、氷河から出てきたものは尖頭型の氷山になるのだそうだ。海に出てからの時間や様々な条件によって天然の造形が創作されることを思うと、鑑賞も一層趣深くなる。

南極海には藻や海草が流れることもな

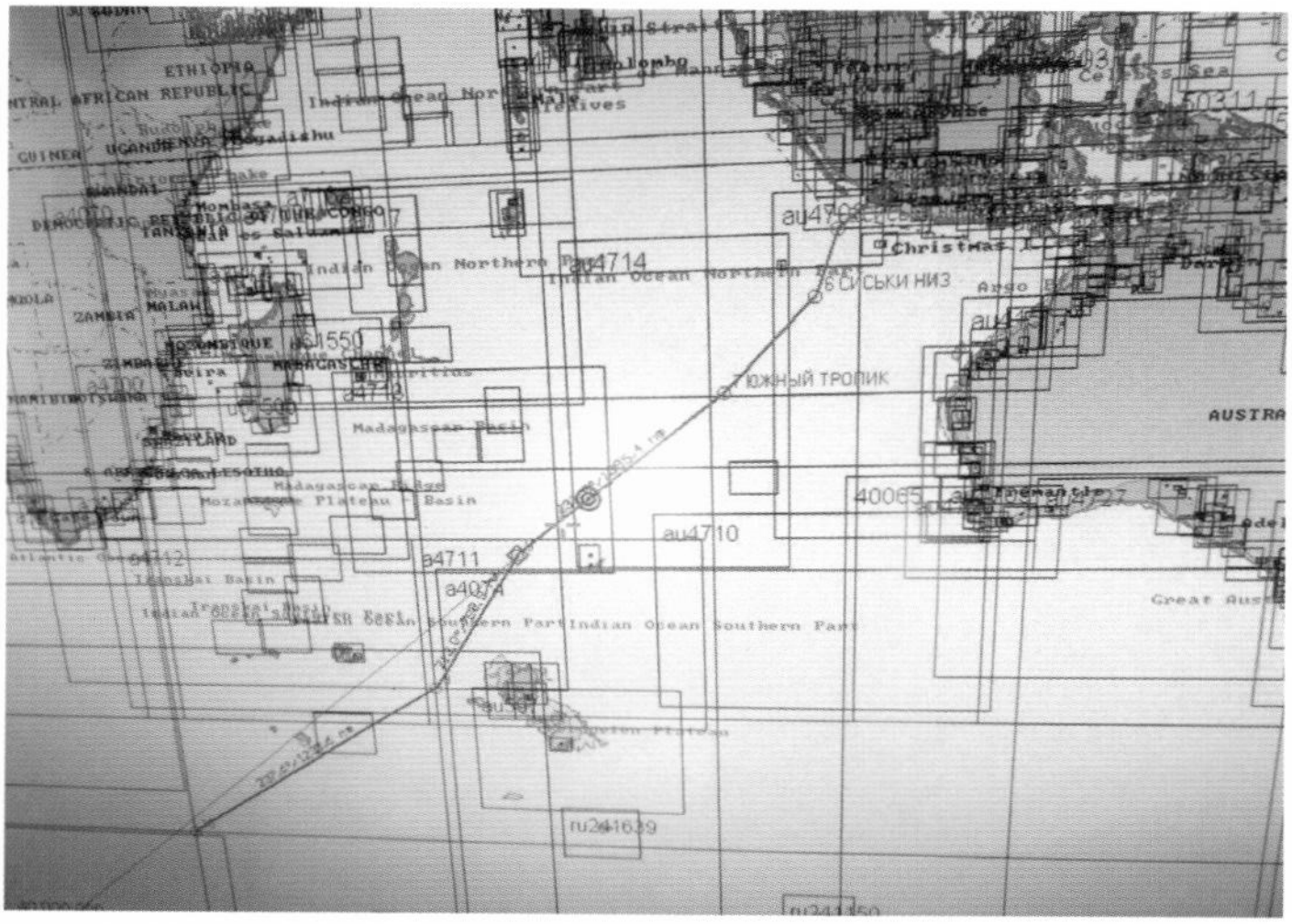

スンダ海峡から南極海までの航路

く、文字通り塵一つない清浄な海なので、船が出す廃棄物のことが気になる。以下は食堂でアナトーリが教えてくれた話。

　船の残飯はシュレッダーで刻んで海に捨ててもよいことになっているが、鶏肉だけは骨も含めて廃棄禁止。これは鳥ウィルスからペンギンなどの南極の鳥類を守るためである。

　プラスチック類はすべて持ち帰りが義務で、帰港時に計量があり、船ごとの条件に合わせて決められた分量に達していなければ罰金が科せられる。汚水は上澄みは流して、残りは固めて陸上で処理する由。なかなか徹底している。

皆で作った餃子

マヨサラダ、キムチ

十二月三十一日、ウラジオストク時間の午後十時から年越しパーティーが始まった。当直者以外は皆集まってマキシムの心づくしのごちそうを囲む。ワイン、シャンパン、ウオッカが出ている。私も麦焼酎「雪洲」を一瓶提供した。まず船長の音頭で乾杯、なるほど自家製ウオッカはなかなかいける。何種類か飲んだが皆うまかった。

この日の大事な一皿とされているのは、胡瓜、人参、青豆など数種類の野菜とハムをサイコロ状に刻んだマヨネーズサラダで、大きな鉢にタップリ作ってある。ロシアではこのサラダの材料の値段が物価の物差しにされていて、年末のニュースでは必ず話題になるのだそうだ。鳥の腿肉のグリル、燻製イワシのカナッペ、人参と大根の千切りなます、牛肉のソテーと煮凝り、豚肉の腸詰め、そしてもちろん皆さん力作の大ぶり餃子などなど、大変な御馳走だ。

麦焼酎はアルコール度四十度なのでキックの強さはウオッカに引けをとらず、大人気ですぐに空になってしまった。

年越しパーティー　　左：アナトーリ、右端：オレーグ

六十七歳のウラジミルは私の横に座って何回も乾杯をした。皆酒が強くて、酔っぱらう者はいないようだ。

十二時になって年が明けると、甲板に出て花火を打ち上げた。南緯六六度ですでに白夜の範囲になっているので空は明るい。沢山打ち上げるので私も一発やってみたが、手にドスンと響くほどの手ごたえがある。どうもこれは小型の信号弾のようだ、道理で高く上がるわけだ。外の気温は零下三℃、ダウンジャケットを着ていると寒くは感じない。

この後間もなく会合予定の海域に到着し、船は二十二日振りにエンジンを停止して漂泊となった。海は凪いでいて氷山が散見される。無音、恐ろしいくらいの静寂の世界だ。レーダーには数隻の船影が写っている。白夜なので時間の感覚が定かではないが、久しぶりに大分飲んだし、すっかり疲れて床に就いた。

明るいまま新年の朝を迎え、起きだしてブリッジに上がってみると、右前方沖に日新丸、左にキャッチャーボートと調査船の姿が見える。初めて見る日新丸はさすがに大きく、舷側が黒、上部は黄土色に塗られていて、地味でずんぐりした感じの船だ。三対の門型マストを備え、艫《とも》にはスリップウェイの開口部が見える。

先ず調査船　第五海洋丸が接舷して給油が始まった。次にはキャッチャーボートの勇新丸が接舷してくる。高くせり上がった舳先《へさき》に捕鯨砲が据え付けてある。正月のこととて、砲口と引き金には松飾りが結んであり、三宝に乗せた餅も供えてある。タンカーの甲板から挨拶すると、砲座の横にいた人が大きな声で捕鯨砲の説明をしてくれた。この人は砲手のHさんだった。砲手といえば、この業界では一目置かれる重要な存在で、特にこの人は製造員として入社して、甲板員を経て砲手になった苦労人で、若い乗組員などにとっては畏敬の的になっているのだそうだ。声が大きいのは砲手の職業病ともいえる難聴の影響だと聞いた。

第三勇新丸が接舷した時、一旦日新丸を経由してこの船に乗る予定だったI君が急に決

お世話になりました

まって直接移乗することになった。急いで荷物をまとめて、挨拶もそこそこに船の間にかけ渡した梯子を伝って移っていった。第三勇新丸の方は人手不足で、一日も早く来て欲しかったのだろう。急なことで別れを惜しむ間もなく一寸残念だった。日新丸の給油は明日だ。

ロシアの正月は、年越しのパーティー以外には何もしないようで、前夜の残り物などを食べていつも通りに過ごすだけ。今頃は正月酒を飲んでいるだろう日新丸の方を眺めながらの寝正月だ。

翌朝、貸与されていた上下のシーツ、タオルケットをI君の分まで洗濯し、部屋の掃除をする。それでも時間が余るのでいつも通りトレーニングルームでたっぷり汗を流した。

船同志が接舷するときは小さいほうが動いて、停止している大きい船に寄って行くことになっているそうで、なるほど道理だ。日新丸は八，一四五トンなので、四，〇〇〇トンのタンカーが後ろから接近して見事にピッタリ接舷した。ブリッジで船長とウラジミルに挨拶して、「アズマさん」のアナトーリにお世話になった礼を言い、記念写真を撮ってもらう。ウラジミルにはお土産にロシア産の蜂蜜をもらった。こちらはお返しの用意が無くて残念だ。あれほど嫌だなあと思っていたロシア船だったのに、なんだか名残惜しい気さえする。

タンカーの甲板に日新丸から大きな網籠が下りてきて、私は荷物もろともクレーンで吊り上げられて、ロシア船を後にした。タンカーの甲板からはアナトーリが「おげんきで」と言って見送ってくれた。彼もほっとしたことだろう。

日新丸到着

年が明けたばかりの二〇一九年一月二日、私は捕鯨母船 日新丸の甲板上に降り立った。これが、遠い南極海までヘリコプターで飛来した、などということであれば、「甲板上に降り立った」という表現も引き立つというものだろうが、現実はそういうこととは程遠い。

日新丸の甲板はタンカーより三メートルほど高い。日新丸から降ろされた荷物運搬用のモッコの親方のような大きな網籠に、段ボールの箱やトランクなどと一緒に詰め込まれて、「しゃがんで、頭下げて、」などと大声を掛けられながらクレーンで吊られて、練達の甲板員の操作でそろりと甲板に下ろされ、籠から這い出したのだった。南緯六六度／東経八度、気温零下三℃。すでに南極圏だ。南極海には珍しく良く晴れて、今日は航海が始まって以来最も静かな海になった。氷山があちこちに見える。ここに来るまで長かったけれど、やっと着いた。

捕鯨母船 日新丸

この網籠に乗って移乗した

荷物を船医の居室に運んでもらい、出迎えてくれた男性看護師のTさんの案内で早速船橋に上がって、船長、調査団長以下に到着の報告をする。水産庁から派遣されている二人の監督官と通信長にも挨拶した。

ゆっくりする間もなく昼食の時間になって、士官食堂に案内された。

日新丸の船内では経度に合わせて時間調整しているので昼の十二時になるところだが、さっきまでいたロシアのタンカーを出る時は、ウラジオストク時間のままの夕方の六時だったのだから体内時計の折り合いをつけるのが大変だ。

昼のメニューは葱トロ丼と鰺の塩焼きだった。士官食堂の中でもメインテーブルとでもいうのだろうか、私が新たに加わることになったこのテーブルだけは六人全員そろったところで船長の一言を合図に食事を始め、ごちそうさまも一緒にすることになっている。そういえば海上保安庁の航海練習船でもメインテーブルではそうすることになっていたな、おそらくイギリス辺りから伝わった、格式のある船での伝統なのだろう。とはいえ、メニューに従って食前酒でも供してくれるような食卓ならともかく、普通の食事を頂くだけなのに一寸窮屈ではある。ただし給仕は付いていて、全員が着席してから料理を運び、食事中は傍に立っていて、お替わりや片付けの世話をしてくれるのは本式に準じているのだろう。もっとも食事の内容は船中皆同じで、これはイギリス式ではない。

海の男は一体に無口なようで、特に緊張感のある捕鯨の期間中は皆黙って食べるだけのことが多いのだそうだが、この機会に船長が調査の進捗状況や天候の予測などを教えてくれるし、仕事の連絡もしているので会話がないわけではない。慣れてくれば少しは話も弾むだろう。

食後、T看護師に船内を案内してもらう。今日は一日かけて重油一，五〇〇トンを給油するので甲板員たちは忙しいが、鯨肉製造部門は正月休みで、今日だけは特別に工場区画にも立ち入りが許されている。迷路のような通路を通り抜けて、人気のない広い区画に出ると、いろいろな機械が並びローラーやコンベアで繋《つな》げてある。食品工場だということは理解できた。その後、医務室の設備や医薬品の説明などを聞いていたらあっという間に五時になった。

夕食は餡かけミートボールと、それとは別にたっぷりの千切りキャベツ添え鰯フライがあって主菜が二皿、これに小鉢とお汁も付いている。更に大皿に盛られた鯨の薄切り畝《うね》肉がテーブルに置いてあって、好きなだけどうぞ、という豪華さ、ちゃんとした和食は一ヵ月ぶりなので何を食べてもおいしい。これで冷たいビールでもあれば最高だ。船の食卓では酒の持ち込みは禁止なのだが、元旦の昨日はおせち料理にお酒も出たそうなので一日違いで逃したのは全く惜しかった。おせちとお屠蘇の代わりがロシア式パーティーとウオッカなのだから仕方がないけれど。

自室での晩酌用に持っていきなさいと、テーブルの向いの席の通信長が勧めてくれるので、鯨の畝肉を少しばかり小皿に頂いた。船団ではすでに二週間前から調査捕鯨が始まっているので、鯨の肉もふんだんに食卓に出ているのだそうだ。これからどんな鯨料理にお目にかかるのか、楽しみではある。


船医用の部屋はさすがにロシアのタンカーの居候の時とは大違いで十分な広さがあり、舷窓に向かった机と椅子、タンスを兼ねたベッドの他に、備え付けのテーブルと長椅子があって居心地は申し分ない。冷蔵庫ももちろん置いてある。インターネットは使えないが、メールは通信室を通して送受信できる。電話ボックスもあって、衛星通信を使った国際電話回線が利用可能だった。

トランクとダンボール箱に入った衣類、書籍、食品、大事な壱岐焼酎とビンタンビールその他を収納した。タンカーで飲み会をやったりしたので、酒の消費はすでに大分前倒しになっている。母船に着いたら供給してもらえるのかと期待していたが、酒はすべて個人持ちで誰かの好意で分けて貰う他に手はなく、肝臓のためには優しい船なのだった。

無知のなせる業とは言え、荷物の品揃えは現地にたどり着いてみれば苦笑するしかないことだらけだった。「南極に行くのだから」とばかりに厳重に準備した防寒具は、厚いダウンジャケット、頭部をすっぽり覆う断熱材入りの目出し帽、スキー用のズボンに手袋、毛の靴下など、白瀬中尉の探検隊なら大喜びしてもらえるような品が揃っていたが、室温二十四℃の日新丸では大方はついに無用の長物に終わった。

いつの間にか早くも午後九時になった。昨日までの深夜の四時だ。白夜なので夕焼けがいつまでも暗くならないが、さすがに疲れた。遮光カーテンを閉めて横になったとたんに眠りに落ちた。

この船の生活環境でロシア船と一番違うところは、トイレが共用で、風呂があって、大きなステンレス製の湯舟に海水を張って蒸気で沸かす式の大風呂になっているところだ。この潮湯はなかなか乙で、大いに気に入って毎日の楽しみとなった。別にシャワーもついていて、こちらは真水が出る。トレーニングルームやサウナはないので、運動の確保は工夫しなければならない。

船医の部屋は、ベッドメーキングと掃除を二人の若い司厨部員が交代でやってくれることになっている。ホテル並みで有難いのだが、忙しい彼らに頼むのは気の毒なので、毛布のたたみ方を教えてもらって自分ですることにした。

洗濯は、洗濯機もむろんあったが、最後まで使わず仕舞だった。自室の洗面用タブに温水を貯めて、洗剤を入れて浸しておけば一日分の洗濯は簡単に済ませることができる。室内は恐ろしく乾燥しているので、部屋干ししておけば加湿効果も兼ねて具合がよろしい。その日の分の下着を手洗いするのは、かつて独身時代には永くやっていた習慣で、こうすると洗濯機を使うのと違って布地は何時までも傷まないので、下着をなかなか捨てられないのが欠点かな。

日新丸診療所

医務室の入口には「日新丸診療所」と墨書された立派な看板がかかっている。東京都中央区役所に登録された、健康保険適用の正式の診療所だ。室内は棚や引き出しに到るまでT看護師によって申し分なく整理されている。血液検査も、一般血液学検査と生化学検査が可能で、心電計もある。組み立て式ながらポータブルレントゲン装置まであるのにはびっくりした。骨折疑いの症例があれば是非撮影してみよう。

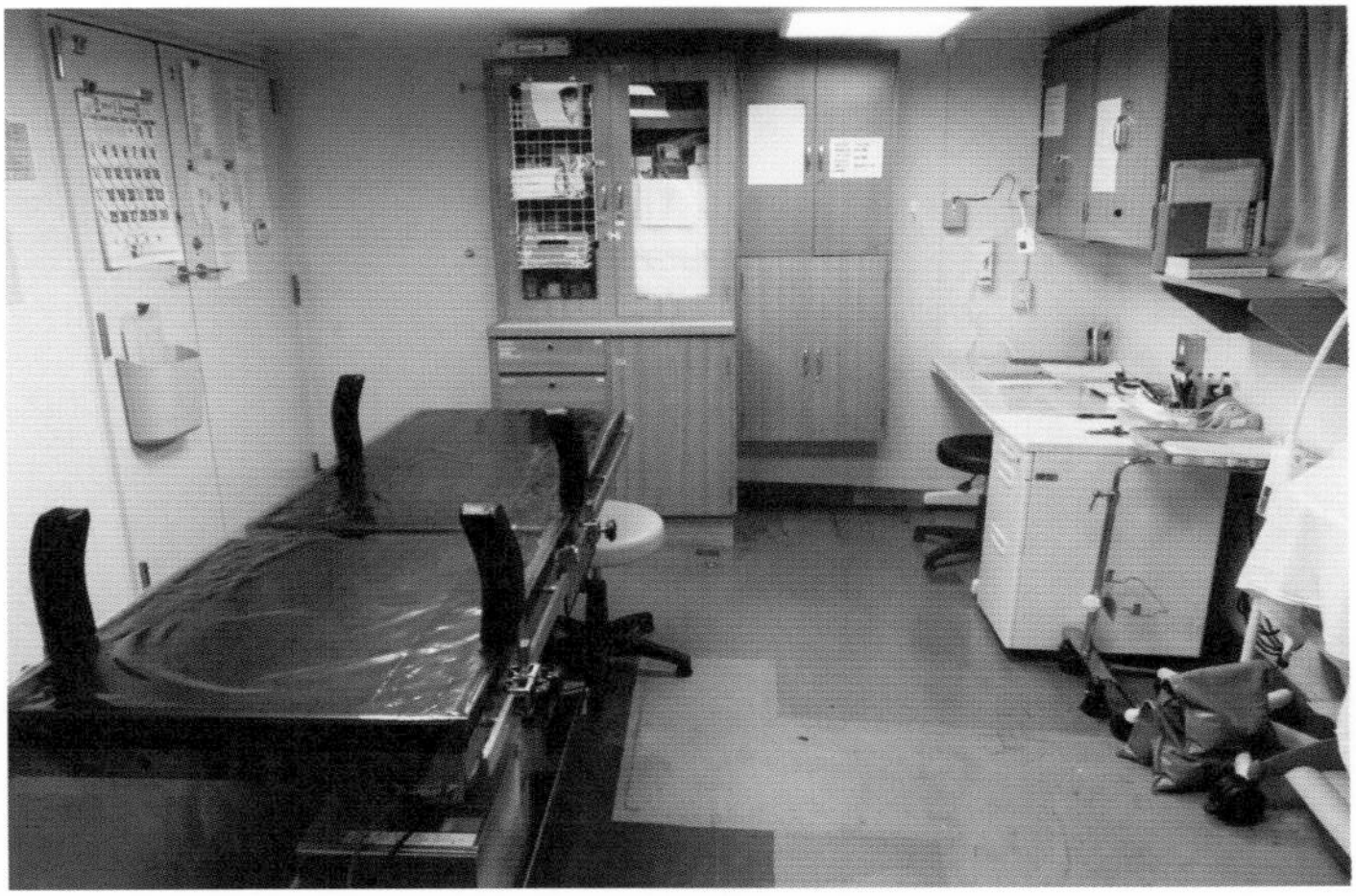
診療所の様子

昨年までここで勤務していた前任医師は救急医学が専門だったそうで、小手術のための準備も行き届いているし、ギプスなど外固定材料も一通り揃っていて有難い。これ以上はやろうとしても出来ないこと、例をあげればきりのない、色々な恐ろしい事態を想定するのは精神衛生に悪いだけなので、なるべく考えないことにした。目を通しておく必要のある書類や、昨年までの診療記録のファイルが結構あるので追い追い読んでいくことにしよう。

船内のどこにいても足下から時々ゴトゴトンという金属性の音が響いてくる。船橋に上がってみると、周りには一面流氷が浮かんでいて、船はその中を十ノット以下のゆっくりしたスピードで進んでいるのだった。金属性の響きは流氷が舳先に当たって舷側を擦る音らしい。「小さな氷だから心配はありませんよ」と船長が言ってくれる。

新年仕事始めのこの日は早朝から捕鯨があって、後甲板にはすでに鯨が上がっている。作業現場には部外者は立ち入り禁止なのだが、後甲板に面してサロンと呼ばれている誰もが使ってよい畳十六畳敷位の部屋があって、その部屋の船窓から後甲板の鯨解体作業を覗くことができる。鯨の解体は捕鯨船では伝統的に解剖と言うのだそうだ。どういう謂われでそうなったのか興味深いことだ。診療所に受診者がないのを幸い、しばらく作業を見物した。

一人の作業者（解剖長と呼ばれる一番上級のベテランと後で教えられた）が大包丁という薙刀《なぎなた》のように長大な包丁で先ず尾びれ（尾羽）を切り落とし、背びれとそれに続く背部の皮を削ぎ切ると、それを合図のように大勢が持つ刃物が目まぐるしく動き出した。皮が剥がれ、肉が外され、見る見るうちに鯨は背骨だけになっていく。骨以外の食用の肉や内蔵はコンベヤーで船倉の製造工場に運ばれ、処理が終わると部位別に冷凍されるのだそうだ。甲板上で一頭の解剖が終わるまでにかかった時間は三十分程であっただろう、見事な手際だ。床の血を洗い流したら、ウインチで次の鯨を引き込んで、すぐに又解剖が始まる。この所要時間はシーズンが進むにつれて更に短くなるのだそうだ。

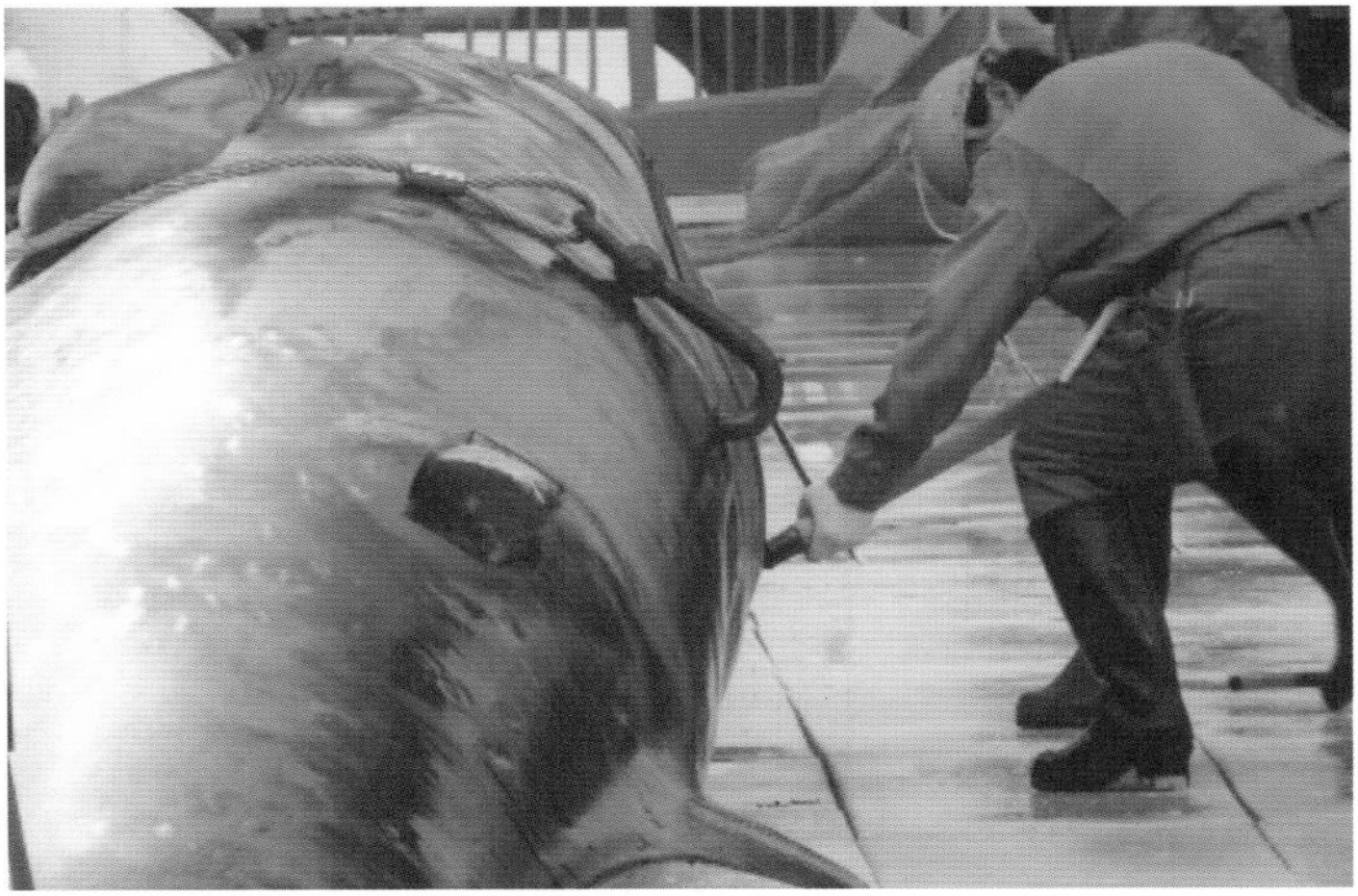

解剖長が大包丁を鯨体に入れている

内蔵除去後。すべてが30分で終了する

江戸時代の鯨組による捕鯨の見聞録や絵巻にも、納屋場と呼ばれる作業場で行われた鯨の解体やその後の処理作業について詳しく記されている。それらの記録には作業が組織化され、手際が洗練されていることを感嘆を込めて書いてあるのだが、その伝統が今日にまで受け継がれていることを感じる。

医務室に戻って、書類に目を通していたら、本社から届いた通信文が挟んであった。「新任の船医は高齢である上に、船の環境にも慣れない人なので十分配慮するように」と書いてある。こいつは参ったなあ、周りの人達は年寄りだと思っていろいろ気を遣ってくれているらしい、申し訳ないことだ。ついてはジャカルタ出航以来、退屈しのぎのいたずら半分、剃らずにおいた顎髭が伸び放題になっている。頭に残った髪の毛もあらかた白いのだから顎鬚も白い。鏡を見ては「ヘミングウェイか、ショーン・コネリーに似ていないかしらん」などとニヤついていたのだが、ただでさえ高齢者と思われているのに爺むささの上塗りはいかんだろう、この際剃り落とすことにしよう。

診療所の入口に、「朝は六時半から九時まで、昼は十一時半から一時半まで、夕方は四時から六時半までが受診時間」と掲示してあるので、その時間帯は在室することにした。乗組員が受診しやすい時間に合わせて書いてあるのだそうだが、実際は受診者はこんな掲示にはお構いなしに来るし、自室にいても呼ばれればすぐに降りて来られるのだから同じようなものなのだが、まあ気は心だ。

ところが患者がそこそこにあれば、こちらも間が持てて丁度良いのだろうが、受診者は拍子抜けするくらいに少なくて、一日平均にすると二人もないくらいだ。後甲板の解剖現場では大包丁から大出刃・小出刃、ノンコと呼ぶ大小の手鉤、頭部切断用の電気鋸に到るまでの、刃先が当たっただけで大けがをしそうな刃物をはじめ、ウインチのワイヤー、ベルトコンベヤーなど危険物がメジロ押しだから、けが人もさぞ多いかと思ったのだが、現実には外傷の受診はサッパリない。

捕鯨終了までの二ヵ月間で、切り傷は指にかすり傷を負った一人だけで、縫合処置はついに一人もなし。五年以上のT看護師の経験でも、さすがにこんなことは初めてだそうだ。現場の安全対策がよほどしっかりしているということか、それとも私くらいの名医になると、近くにいるだけで怪我もなくなるということだろうか、まさかね。

ただしTさんによると、忙しくて危険も多い捕鯨期間中よりも、暇な往復の航海の間の方が怪我人が多いというジンクスがあるそうだから、安心はできないのだが。

それでも医務室に詰めているからには、何か医療に関わる暇つぶしでもやるしかない。航海が終われば四月から勤めることになっている身体障害者施設の診療所での仕事に備えて、いずれ必要になる内科の勉強でもしようかと思い立った。

何しろ医学部を卒業して以来四十年以上、整形外科の手術中心の仕事だったのだから、内科の診療には全く縁がなかった。医務室の戸棚をのぞいてみたら、先ず「基本心電図」という本が目についた。一番苦手のこれから始めてみようか。三〇〇ページあるから一日二十ページあて勉強するとして、読み終わるまで二週間くらいか。

キャッチャーボートの活躍

毎日午前九時を過ぎたらブリッジに上がって、海や捕鯨の様子を覗きに行くのが日課のようになった。

二隻のキャッチャーボート、勇新丸と第三勇新丸の姿はほぼ常に本船から双眼鏡で見える範囲にある。各々通称「一番船」、「二番船」と呼ばれていて、二隻は一見気ままに動いているようだが、実は決められたコースの範囲内を進みながら探鯨を続けているのだ。

母船に近づいてくるキャッチャーボート

鯨を発見すると無線連絡と同時に追跡が始まり、その種類、頭数などが報告される。

発見したのがクロミンク鯨であれば、引き続き追跡、捕獲に移ることになる。日新丸から近いときには、双眼鏡で捕鯨の一部始終を見て取ることができる。海に潜り、向きを変え、逃げ回るクロミンク鯨はすばしこくてスピードも速い。時速十五ノット以上で波を切って走る勇新丸が度々急旋回し、倒れそうなくらい傾斜しながら追尾している様子は、双眼鏡で見ていても手に汗握る思いだ。三十分近くかかることも稀ではなく、やがてついに捕鯨砲から白煙が出てロープが伸びていくのが見えると、ブリッジでは一斉に「ヤッタ」という声が上がる。皆見つめていたのだ。

重さ四十キロもある銛の先には爆薬が装填されていて、心臓近くに命中したら即死するのだが、クロミンク鯨はただでさえ小さく、そのまた小ぶりの個体となると鯨体に銛を当てるだけでも至難の技だ。即死しなかった時は、以前は電気ショックを使っていたが、今は大型のライフル銃で止めを撃って長く苦しませないようにしている。

鯨を確保したら、尾の部分をワイヤロープで縛り、左の舷側に固定して本船に向けて曳航してくる。これから鯨を本船に引き渡す作業を「渡鯨」と呼んでいる。本船から流した細いロープをたぐり寄せてワイヤロープにリレーし、これを鯨の尾部のワイヤロープに繋いで放す。本船はワイヤを巻き上げてスリップウェイから甲板に鯨体を引き上げるという手順である。船長は毎回ブリッジの横のオープンデッキに出て手を振って労をねぎらい、渡鯨を終えたキャッチャーボートからも手を振りながら、次の鯨を追って本船を離れていく。

ここ数年、調査捕鯨頭数はクロミンク鯨三三三頭と決められている。十二月中旬から始まり二月末までが調査予定期間だから、平均一日四〜五頭ずつ捕れれば達成できる計算なのだが、現実にはそれがなかなか難しい。

キャッチャーボートの目視員たちは交代で数人ずつが一日中船のアッパーブリッジや更にその上のマストに取り付けられた物見台に上って、鯨発見に努めている。彼らは熟練に

クロミンク鯨の渡鯨の準備

調査員によるサンプル採取

よる素晴らしい目視能力を持っていて、数マイル先の鯨が吹き上げる微かな噴気を見逃さず鯨を発見するだけでなく、噴気の形や角度によってその種類までも言い当てることができるのだが、それも風浪や霧のために視界が効かなければ難しい。南極海では条件の良い日はなかなか続かないのだ。

三〇年前までの商業捕鯨の時代には、条件の良い海域で大きな個体を選んで捕獲すればよかったので捕鯨の効率は良く、一九八六／八七年の最後の商業捕鯨の年でさえ、鯨が多いロス海で型の良いクロミンク鯨二,五〇〇頭を捕獲している。

ところが調査捕鯨は全く違っていて、鯨の多寡にかかわらずすべての海域を調査しなければならない。鯨が発見できなくとも、そのこと自体がデータなのだ。その上捕獲する際の個体の選択は無作為でなければならず、数頭の群れがいた時にどの鯨を捕獲するかは、乱数表で決めることになっている。

一日に捕獲する頭数は母船の受け入れ能力の範囲内の、最大五十トンまでに限られていて、鯨が大きければ六頭で終了となる。今次航海での最多は九頭で、一回だけだった。もちろん天候に災いされて一頭も獲れない日も何回もあった。

帰りの航海中に、調査結果の概要を調査団からレクチャーしてもらったところによると、今回の調査で一番発見が多かったのはザトウ鯨で六二〇頭、南極大陸からやや北に離れた海域で多かった。数年前まで一番多かったクロミンク鯨は二番目で六〇二頭、三番目がナガス鯨で一五二頭。ザトウ鯨とナガス鯨は毎年十％近く増え続けていて資源回復が目覚ましい。その他にシロナガス鯨が十二頭、マッコウ鯨十四頭、ミナミトックリ鯨十九頭、シャチ三十六頭であった。シロナガス鯨とマッコウ鯨が増えていないのは、あまりにも個体数が減り過ぎたために、広大な南極海で繁殖の機会が得られにくくなっているからだろう、と推測されているそうだ。

調査捕鯨船団のミッション

一九八七／八八年に南極海で始まった日本の調査捕鯨（正式には南極海鯨類捕獲調査）は、それ以来三十年に渡って続けられている。

これまでにも度々「調査捕鯨」という言葉が出てきたが、日本は一体何の為にこんなことを続けているのか、そのことについて触れてみよう。以下は日新丸に乗ってからの、にわか勉強で仕入れた知識のおすそ分けになるのだが、そのいきさつを説明するためには近代捕鯨の歴史をひもとくことから始める必要があるので、少し辛抱して付き合って頂きたい。

第二次世界大戦が終わったばかりの一九四六年、当時の捕鯨十五か国によって国際捕鯨取締条約が締結された。よく耳にするＩＷＣ（国際捕鯨委員会）というのは、この条約の執行機関なのである。日本は対日講和条約が批准された一九五一年に加盟している。

この条約の目的は「鯨類資源を保護しながら捕鯨産業の秩序ある発展をはかり、将来の世代に引き継ぐことである」と、その前文に明記してある通り、鯨の資源保護と捕鯨産業の両立をめざしたものだった。

何しろその頃の捕鯨の量はすさまじくて、例えば一九三〇／三一年の漁期には各国合わせて五十八万トンもの鯨油を生産したので鯨油価格が暴落したほどであった。想像を絶する規模の乱獲が当時の先進諸国によって行われていたのである。この条約が結ばれた契機として、実は鯨油の生産調整の意味合いが強かった。

条約は結ばれたものの、この頃南極海で行われていた捕鯨には色々と深刻な問題があった。年毎に決められる捕獲枠は鯨の種類は問わず鯨油の量で決められており、限度に達するまでは早い者勝ちで捕り続ける「オリンピック方式」と呼ばれた競争であった。おのずから採油効率のよい順に捕獲されたので、シロナガス鯨はじめ大型鯨は急速に個体数を減らしていった。

その後資源調査が進むにつれＩＷＣの捕鯨規制は徐々に厳しくなる。一九六四年にシロナガス鯨とザトウ鯨が全面捕鯨禁止になると、採算が合わなくなった諸国は次々に南極海から撤退し、遠洋捕鯨を続けるのは日本と旧ソ連だけになった。

こうなると捕鯨をやめた国々にとっては「捕鯨産業の秩序ある発展をはかる」という条約の目的はどうでも良い事になる。それどころかアメリカ、イギリス、オーストラリアなどは一九七〇年代には捕鯨反対に立場を変え、資源枯渇を言い立てて商業捕鯨全面中止を主張するようになる。この背景にはこの時期に突如として台頭してきた「グリーン・ピース」などの地球環境保護を掲げるＮＧＯ団体の政治的圧力が働いていた。

一九七二年にＩＷＣの年次会議に出された彼らの商業捕鯨中止の主張は科学委員会の資源科学からの観点によって否定されるのだが、すると今度は会議での採決を得るために、捕鯨に関係の無い小国など二十三もの国をわずか三年の間に条約に新加盟させるという策動が行われた。

こうして捕鯨反対国の比率が捕鯨規則の修正に必要な四分の三を超えることになり、一九八二年に「商業捕鯨の十年間モラトリアム」が強引に決議された。この時の決議の趣旨は「鯨類資源の把握が不正確で、資源管理の方法に不備があるので、それを見直すために十年間の猶予期間（モラトリアム）も設け、その間は捕鯨を中止する」というもので、「遅くとも一九九〇年までにはモラトリアムを見直す」という付帯条件がつけられていた。

そこで日本はその見直しに向けて、南極海および北西太平洋で独自の鯨類捕獲調査（調査捕鯨）を始めることにしたのである。以来三十年の間にクロミンク鯨のみでなく、ザトウ鯨、イワシ鯨などでは資源の健全さはすでに立証済みであるにもかかわらず、約束されたはずのモラトリアムの見直しは一度もなされないまま、この調査は続けられているのだ。

ＩＷＣは日本の調査捕鯨に対して南極海でクロミンク鯨三〇〇頭程度のサンプル採取を認めている。必要な検体を採取した後の鯨体は条約が定める規定に従って、調査費用の一部に充てるために処理・販売されている。

調査捕鯨とはこのようなものであって、捕鯨反対の人達が言っている「形を変えた商業捕鯨」などとは全くかけ離れているし、第一商業目的とするには数が少な過ぎて収支が全く見合わない。

さて話は調査の実際に移るが、調査海域は年毎に変っていて、今年は南緯六〇度以南の南極海を六つに区割りしたうちの東経〇～七〇度の範囲が対象になっている。世界地図で見るとアフリカ大陸のほぼ全域を含む経度の南にあたる範囲だ。

キャッチャーボート二隻と母船がチームとなって、あらかじめ設定された距離ごとに反転するジグザグのコースラインをたどっていく。まず東経〇度から始めて北東へ向けて斜めに走り、南緯六〇度に達したら反転して南東に向かい、大陸の氷棚まで来たら又北上、ということを繰り返して東経七〇度まで進むのである。その間に幅六マイルの範囲で目視した鯨の種類、頭数、大きさなどを記録しておいて、後に様々な補正を加えたうえで数学的に処理すれば、その海域の鯨の資源量を割り出すことができる。

キャッチャーボートは目視調査を行う一方、発見した鯨がクロミンク鯨であれば捕獲して母船に渡す。母船の甲板上では調査団員による生物学的調査が行われる。先ず体長、外部形態、体重の測定が行われ、次いで脂肪の厚さ、胃の内容物、特に重要な年齢査定の為の耳垢栓など、総数四十七項目に及ぶ計測データと検体が採集される。その後鯨体は直ちに解剖され、工場での処理を経て、冷凍に回されるという手順になっている。

今後二ヵ月間は同じ日課の繰り返し、氷海を出たり入ったりの毎日となるのだが、南極海の自然は厳しく、望むままの海況をそうたやすくは与えてくれない。それに加えて南極の夏は短く、季節は容赦なく進むのである。

南極海の風物

南極海を南に進むと、なかなか目を楽しませてくれる光景が待っている。南緯六〇度が近づくころに初めて氷山に出会う時には誰しも興奮するのだが、そのうち次々に現れてくるようになると、その形や大きさの多様さを楽しむ気分になってくる。

一番見ることの多いテーブル状の氷山は、南極大陸に厚く堆積した棚状の氷が重力で押し出されて海に落ち込んだもので、大きなものでは面積数百平方キロに及ぶものがあるらしい。山形に尖ったもの、帆掛け舟の形、現代アートを思わせる奇抜なものなどもあって実に様々だ。色も個性的で、波に洗われて青みを帯びたものは太陽の光が当たると実に美しい。

氷に褐色の縞模様や暗緑色の太い帯があるのは珪藻類や植物性プランクトンが氷に取り込まれたもので、アイスアルジーと呼ばれる。春に海面に日光が届くようになると、深海から湧出する豊富なミネラルのおかげで植物性プランクトンの光合成が進み、これが数億

さまざまな形の氷山

アイスアルジー、南極海のすべての生物の命の源

トンにも達するという南極海のオキアミを養う命の源となるのだ。

アイスアルジーとは又違って、全体が茶色の氷山を見た時には、どうしたらあんな色が着くのか不思議だったが、調査団長のBさんが教えてくれた所によると、何かの事情で氷山が回転して底に着いた土が上になって見えているらしい。海面から出ているのは氷山全体の八分の一だと聞くと、船から遠く離れているのに視界を広く占めているテーブル状氷山など、その大きさはまったく想像を絶する。

平たい氷山のすぐそばを通り過ぎたときアザラシが一頭見えた。灰色っぽい体に褐色の斑点がある。大きな船を見て驚いたのか、氷の上を這って海に入っていった。いつもブ

カニクイアザラシ

リッジでパソコンの前に座っている調査団長が「カニクイアザラシです。でもカニを食べることはなくて、ほとんどオキアミばかり食べているようですね」と教えてくれた。確かに氷の下は深さ千メートルという南極海にはカニはいないだろう。私は見る機会がなかったけれど、日新丸の往路航海の時には卓状氷山の上にアデリーペンギンの群れもいたそうで、写真を見せてもらった。ペンギンの餌もオキアミ、鳥類も含めて南極海域のあらゆる動物を育むものはオキアミなのだ。

鳥類と言えば、氷海であるにもかかわらず、日新丸の周りにはいつも何種類かの海鳥が飛び回っていて、特にデッキで解剖が始まる時には群れ寄ってくる。日本の捕鯨では鯨のすべてが余すところなく利用されている、とは言っても、食品に加工できない部分は海中に投棄される。いつもはオキアミばかり食べている彼らにとって、甲板から流れ出てくる解剖作業の残骸は滅多にない御馳走なのだろう。一番目立つのはユキドリ。鳩と同じ位の大きさで、つぶらな目と嘴の黒以外は全身が真っ白で、目を奪われるほど目立つ。

群れをなして海に浮かんでいるのは水なぎ鳥の仲間で、飛び立つと翼が細くて長いのが特徴的。翼に褐色の筋が入っていて大型なのは、トウゾクカモメと呼ばれている。ペンギンの卵や雛を襲うことがあるのでこの名がつけられているそうだ。甲板に立っておられないような強風が吹く時にも、彼らは風を物ともせず飛び回っていて、その飛翔力は驚くばかりだ。

南極海のオキアミは体長五~六センチと小エビほどもある大きさで、南極海の夏に大繁殖する。クロミンク鯨の胃の中に入っているのは大量のオキアミだけ、魚を食べていないクロミンク鯨の肉には全く魚臭さがない。かつて我々が食べていた鯨の肉に独特の「鯨臭さ」があったのは何の臭いだったのだろうか、鯨の種類によるのか、食べている餌の違いか、それとも肉の処理や冷凍技術の問題だったのだろうか。

尻取りをやっているみたいで一寸気が引けるけれど、肉の話が出たついでに、次は鯨を食べる話をしてみよう。

アデリーペンギン

ザトウ鯨

日新丸で食べた鯨

一九五〇年、昭和二十五年生まれの私はかつて鯨を沢山食べた世代の一人だ。戦後の南極海捕鯨に、マルハ（大洋漁業）、日水、極洋の捕鯨三社が本格的に参入したのが一九五四年。シロナガス鯨、ザトウ鯨の捕鯨禁止が一九六七年。ＩＷＣのモラトリアムによる商業捕鯨中止が一九八七年だから、禁漁になる前のシロナガス鯨の霜降りの尾の身肉も、直径二十センチもあるような百尋《ひゃくひろ》(小腸)の輪切りも食べている。一頃鰊《にしん》が獲れなくなって数の子が贅沢品だった頃、正月のご馳走には百尋の輪切りが代替品だったのを覚えている。豚のベーコンは高嶺の花で、鯨のベーコンが庶民の食べ物だった。当時はどこの商店街でも、鯨屋の冷凍ケースにはとりどりの鯨製品が揃い、多くの客でにぎわっていた。何しろ安かったので、牛、豚、鶏の肉は買えなくても鯨ならどんな家の食卓にも並んだものだ。

もちろん給食の鯨汁も覚えているが、あれは臭みが強くて、大方の子ども達には人気がなかった。当時の給食室には冷凍庫などは無かったのと、流通の問題で肉質が悪かったの

赤身肉と本皮の刺身

薄切りのベーコン

が不味かった原因と聞くが、折角鯨好きの子供を増やす機会だったのに、残念なことだった。

さて日新丸の鯨だが、先ず食堂で供されたメニューを挙げてみよう。刺身で出たのは赤身肉、畝須《うねす》、本皮、薄切りベーコン、薬味を混ぜたユッケ。そのほかの料理では赤身肉の竜田揚げ、ステーキ、そして鉄板で各自好きなだけ食べる焼肉。霜降りの鹿の子《かこ》肉のうどんもあった。内臓料理では百尋（小腸）、食道、胃袋、何れも茹でて薄切りにしたのを酢醤油で食べるのが合う。

同じ赤身肉でも個体差があって、若い鯨の肉はアッサリしているが、脂が乗っておらずコクに乏しい。さんざん逃げ回ったあげくに捕られた鯨は、肉に血が回っている感じで美味くない。「肉がヤケている」とベテラン乗組員が言っていた。海で釣った魚でも数日生け簀に入れておくと乳酸が分解されて美味くなるのだが、その反対のことが起っているのだろう。

鯨肉製造の現場では、熟練の職人が個体や部分ごとに等級をつけて選別している。鯨の肉の中で最も高級とされる「尾の身」は、牛や豚では「ヒレ肉」と呼ばれる腸腰筋《ちょうようきん》のことで、元々鯨類ではこの筋肉は退化していて、わずかな量しかないのだそうだが、小型のクロミンク鯨からはほとんど取れず、こればかりは食べる機会がなかった。

顎の回りの霜降り肉は珍重されて「鹿の子肉」と呼ばれる。鉄板でこれを軽く炙ったのが一番美味しかった。牛の霜降り肉から匂いやクセを消し去ったような上品な味だ。特に今期捕鯨の最後の一頭の肉を帰路航海中に出してもらったのは、ベテランの職人が一目見て「今年最高の肉だな」と言ったのに間違いはなかった。

霜降り肉の鉄板焼き

髭クジラ類の顎から腹にかけて縦縞が広がっている部分を畝須と呼ぶ。オキアミを海水と共に捕り込む時に袋状に伸縮する所だ。鯨のベーコンというのはこの畝須をブロックに切り分け、二日ばかり塩漬けにした後二時間ほど煮て、最後に表面を食紅で染めて出来上がり、というもの。その昔高値だった豚のベーコンに見立てて色付けしたらしいが、豚のベーコンとは又違った風味とうまみがある。これを薄切りにして扇状に並べた一皿は見た目にも美しく、酒の肴には絶品だ。刻んで高菜漬けと一緒に炒めた一品も、安くておいしい総菜の定番として昔人気があった。

期待していたが食べそこなったのは、晒した尾羽肉（おばいけ）、舌肉（通称さえずり、関西ではコロと呼んで、おでんが人気）、鹿の子肉のハリハリ鍋など。

この他の食材を挙げると、「かぶら骨」と呼ばれる頭部の軟骨は酒粕で和えて松浦漬に加工される高級食材。缶詰の「鯨の大和煮」は二級品の赤肉や骨の周りから削ぎ出した肉が材料だが、これにも捨てがたい味がある。

最近の若い日本人は、昔から鯨肉の流通がある地域に住む人を除けば、ほとんど鯨を食べる機会がないのではなかろうか。折角捕鯨関係者が頑張っても、肝心の鯨食の文化が衰退してしまっていては空しいことになる。

製造部の社員さんに聞いたところでは、ここ数年鯨肉の卸値は下がっていて、一キログラムが千円くらいだという。（消費者が買う時にはもちろんそんなに安くはないだろうけれど）調査捕鯨の副産物の鯨肉はわずかだが、ノルウェイ、アイスランドからの輸入品や、定置網にかかった鯨も結構出回っている。鯨肉は高蛋白でしかも低カロリー、肥満や成人病が心配な人には最適だ。肉処理や冷凍技術の進歩のおかげで臭みもなく、大変食べやすく美味しいものになっているので、手頃な鯨肉を見かけたら是非食べてみて貰いたいものだ。

船内生活

捕鯨操業中は朝六時から七時半までが朝食時間、皆仕事の都合に合わせて交代で摂っている。テーブルに日替わりで色々な干し魚と海苔、納豆、塩辛などが置いてある。飯と味噌汁はセルフサービス、私は運動不足なのでご飯はほんの少しにしている。

医務室に行くと「共同衛星通信」というA４紙の裏表五枚ほどに印刷されたニュースが毎朝届いていて、国内外の情報が伝わることは自宅で新聞を読むのと余り変わらない。大相撲の場所中には、もちろん昨日の星取り表が載っている。これをじっくり読んで、さて心電図の勉強だ。

循環器内科学は怠け学生にとって勉強することが多くて大変だった。特に物理苦手の私には心電図は鬼門、今でもよい思い出は残っていない。覚悟を決めて読み始めてみると四十五年前の記憶が蘇ってきて、ほとんどの記述は一度は読んだ覚えがあるように思える。心電図というのはあの頃すでに、付け足すことがないくらいに進化していたのだろうなど思った。付いてこない理解力をなだめすかししながら、少なくとも一度は分かったつもりになって二週間で読み終えた。もっとも、またすぐに忘れてしまうのは請け合いではあるのだが。

次に読んだのは「身体所見からの臨床診断」という教科書。その次の「運動器の痛みを和らげる」というテキストは当方の専門だから、おさらいの意味で読み進めた。一ヵ月も頑張って勉強したので、大分賢くなったような気になって、あとは必要がある時に「今日の医療」という虎の巻に頼ることにした。これ以上続けると頭が壊れそうだ。

過去の在籍者の死亡記録がファイルしてあったので読んでみると、この船が調査捕鯨に就航した一九九一年以来五名が死亡している。最初の人は脳出血を起こして、キャッチャーボートで搬送中に死亡して水葬された。工場の昇降機に頭を挟まれた人が一人、十二年前の船火事の際の一酸化炭素中毒死が一人、自殺者が二名。この五人の外に荷役作業中の事故で下請け会社の作業員が一人亡くなっている。

火事の記録もあった。大きな火事は二回起こっていて、最初は二十年前、往路航海中に火事になり、幸い怪我人は出なかったがインド洋から引き返してインドネシアのドックで修理、一ヵ月遅れで調査捕鯨には何とか間に合った。二回目はその八年後、調査捕鯨真っ最中の二月の南極海で、深夜に火災警報が鳴った。前記の通り一人が亡くなり、保安要員以外は全員退船してキャッチャーボートに収容された。四日後に何とか消火できて自力航行可能となり、捕鯨は中止して帰港している。この他にも大事に至る前に消し止められたボヤ騒ぎが数件記録されている。

それにしてもちょっと大きな事故が多過ぎるのじゃないか。T看護師によると、大きな声では言えないが、この船はそのことで業界に知られていて、関係者は頭を痛めているらしい。

ついでに触れておくと、二度目の火事の時はキャッチャーボートに乗り移ることができたので幸いだったが、もしこれが救命ボートだったら脱出する意味は疑問となる。数日以内に助けが来るのでなければ、流氷が漂う海に浮かぶボートの中で防寒具なしでは、凍死するのは時間の問題なので。

そういえば、この船では毎月一日と十五日に幹部クラスが朝一番にブリッジに集まって、船長の発声で備え付けの立派な神棚に参拝する行事がある。そのあとお神酒を一杯頂いて、茹で卵一個の振る舞いがある。その日の昼食は尾頭付きの鯛の塩焼きと、赤飯に吸い物と煮染めが付くと決まっていて、夕食は皆さん御待ちかねの鯨肉の鉄板焼き食べ放題の日なのである。

参拝は商業捕鯨時代からの伝統ではあるそうだが、そんな事故の来歴を聞くと神様を大切にしたくなるのも無理はない。道理で神棚に祀ってあるのは恵比寿様ではなかったな、大漁祈願が眼目ではなかったのだ。

そのことと関連しているのだろうが、航海中この船では飲み事の行事が全くなかった。かつては赤道通過の時には「赤道祭」というのをやって盛り上がっていたそうだが、今は福引で景品を配るだけになっている。正月にはお屠蘇とお酒が少し出るが、無礼講で飲むようなことはない。例年、成人式には皆で新成人のお祝いをしてあげるのだそうだが、今年は生憎一人も該当者なし。調査捕鯨終了日にも打ち上げ後の宴会はなく、記念撮影の他には夕食の時に缶ビールが一本出ただけだった。

ブリッジの神棚

もちろん夕食後自室での飲酒は許されていて、気の合う同士の飲み会はよく開かれていたようだが、火気は厳禁で室内は禁煙になっている。二十歳前後の乗組員が多いにもかかわらず、急性アルコール中毒や酔った上での怪我や喧嘩沙汰での受診者は皆無だった。

かといって制約が厳しくてウットウシイ、などといった声は聞かなかったので船内のストレス管理はうまくいっていたのだろう。これには船長のEさんの人柄が春風駘蕩の雰囲気を漂わせているのも、与かって力になっているように思われた。

船長は日中自室に引っ込んでいることは少ないようで、捕鯨中や、天候の悪い時などには大抵操舵手の横に立って指示を出している。ブリッジでのよもやま話で聞いたところでは、東京の佃《つくだ》島の生まれで、北海道大学の水産学部出身。この学部は専門課程に進むと学舎は函館に移るのだが、札幌の教養部時代には恵迪《けいてき》寮に入っていたのだそうだ。それも旧寮最後の入寮生だったと聞いて嬉しくなった。

北大の旧恵迪寮というのは札幌農学校時代からの伝統を受け継ぎ、寮歌「都ぞ弥生」とともに、日本中の国立大学で一番オンボロの寮として有名だったのだ。ちなみに私が二年間を過ごした九州大学の旧田島寮は二番目のオンボロと自称していた。

小柄で坊主頭、いつも会社のお仕着せの作業服を着て運動靴を履いているEさんには、およそチャキチャキの江戸っ子などという印象はなくて、失礼ながら昔の小学校の用務員さんを思わせる風貌と雰囲気だ。それでいながら、常に船の運航と船内の隅々の出来事にまで目配りを怠らない、頼もしい船長だった。

風邪ひき

一月二十日、このところ良い天気が続いて白夜の夕焼けが美しい。夜中に目覚めて窓を覗いても夕焼け空、それが朝まで続いてやがて陽が昇ってくる。その間に船の向きが変わっていたりすると方角も分からなくなって、一体どうなっているのか混乱してしまう。

落ち着いて考えると、夕焼けは西の空で、それが一晩かけて南の水平線上をぐるりと移動して朝焼けとなり、朝日は当たり前ながら東から上って来るということだ。陸上にいれば方角を失うことはないのだろうが、時に進行方向が変わる船の上では実に不思議な感じがするのだった。

この日は珍しいくらいの快晴で氷海に波はほとんどなく、捕鯨も絶好調。午前十時前には早くも七頭目が渡鯨されて、本日の予定は終了。甲板には解剖中の鯨の他に鯨体が三つ並んでいる。

こういう良い天気には外で運動でもしたくなる。医務室の窓の外には二メートル幅くら

白夜の夕焼け

いのデッキがあって、本来は後甲板につながっているのだが、調査期間中はその境にドアが設置されて行き止まりになっている。デッキの長さはせいぜい三十メートルといったところか、その短いデッキを速足で往復するのは、まるでお百度を踏むような感じだ。別に差し当たって願掛けするような事もないのだが、孫の息災でも願ってお百度踏みをやってみようか。

外気は零下三℃なのでアンダーウェアを着こんで、毛糸の帽子と手袋も着けて、ジョッギングと速歩を始めることにした。一時間近く運動すると気分もよかったのだが、始めて三日目位から頭痛と悪寒がするようになった。心電図の勉強で頭を使い過ぎたのだろうか、念のためにインフルエンザの検査もして陰性を確認した。南極海で外から風邪がうつることはあるまいが、万一ウイルス感染が起こったら、冷暖房の換気は船内全室循環式なので大変なことになる。この後暫らくはおとなしくしていたのだが、体調不良はなかなか治らず二週間くらい続いた。

かつての私は高校卒業まで十二年間無欠席の健康優良児だったのだが、このところ毎年風邪を引くようになっており、しかも空気清浄な南極でも引くとは「衰えたるかな」の思いが強い。対症療法で、風邪薬を服用して栄養と睡眠をとるしかない。「酒を控えて」の方は元々この二ヵ月以上、寝酒をちょっぴりの生活が続いている。

元来私の風邪には食欲が落ちずに、かえって太ってしまうという不思議なところがあるのだが、毎度テーブルに六人そろって頂く食事に相伴するのが一寸つらい日もある。何しろ副食に必ず主菜二皿と、小鉢が付くと決まっていて、これに加えて鯨の鉢盛が出る日もある。ただでさえ運動不足の身にはカロリーが多すぎる。

他に楽しみがない分食べ物だけは、という配慮なのだろうが、夕食は決まって肉料理と魚料理が一皿ずつ、昼は麺類か丼物に、もう一皿の主菜が付く。しかもすし職人上がりの司厨長は腕がいいと来ている。一皿は余分で、要らなければ残して下さいと言われても、私の世代は出された料理を無駄にするなどということは習性として出来ないのだ。それで、夕食は料理だけ頂いてご飯はなしにした。丼物の時はご飯少な目にしてもらう。隣のテーブルで毎度山盛りの丼飯をガンガン食べている若い人がうらやましい。

風邪が治らず苦しんでいる私に、T看護師が教えてくれたところでは、「この船で南極圏に来ると、皆風邪の治りが悪いんです。なにしろ船内の換気は循環式で、恐ろしく乾燥している上に、内と外の気温差は二十五度以上。運動不足だし、新鮮野菜は少ない、ストレスも溜まっているでしょうからね」なるほど室内はカラカラに乾いていて、洗濯物を干すと異常なくらい乾きが早い。確かに風邪には悪い条件だ。

調査捕鯨船団

船団のことを説明しておこう。今回の調査には捕鯨母船の日新丸八,一四五トンと付属船として五隻が参加している。目視採集船の勇新丸と第三勇新丸、目視専門船第二勇新丸、この三隻は同型の七四〇トン級キャッチャーボートだ。採集というのは捕鯨をするという意味で、それがついていない第二勇新丸は今回は目視だけを行う任務になっている。

その他に目視専門船第六開洋丸、オキアミ調査船第七開洋丸がいて、それぞれに調査団の研究員が乗り組んでいる。捕鯨チームの二隻のキャッチャーボートは当然常に日新丸と行動をともにしているが、それ以外の船は燃料補給の時以外は見かける事はなかった。

日新丸はもともと北太平洋のサケ・マス漁用に建造された筑前丸という大型トロール船だったのだが、アメリカによって同海域から閉め出された為に行き場を失っていたところを、調査捕鯨が始まった一九八七年に捕鯨母船に改造された船だ。

それまでの商業捕鯨時代に活躍した二万三千トンの第三日新丸が老朽化したので役目を引き継ぎ、大洋漁業以来の伝統ある船名も継承したのだそうだ。トロール船だった頃の船名が刻まれた、名残の鐘がブリッジの横に吊るされている。現在世界で唯一の捕鯨母船であり、漁船としては日本最大の船だ、と船長が教えてくれた。

改造して居住区画や工場設備などを大幅に追加したため、排水量が四〇〇〇トンほど増えたのに伴って、喫水が上がり速力も落ちたのは仕方がないことだろう。もう一つの意外な泣き所は、船尾に開いた滑り台、スリップウェイの傾斜がトロール漁用に急角度に作られていることだ。小型のクロミンク鯨には問題ないが、大型鯨には対応が難しく、かつてナガス鯨を引き揚げた時には重量に耐えられず、ワイヤロープから尾が切れて鯨体が沈んでしまったことがあるそうだ。

日新丸のスリップウェイ

一軸推進の七，三二〇馬力、最大速度一七・五ノットと会社のパンフレットに記載してあるのは改造前の栄光だろう。三十二年の船歴の間に大改造を含む数度の改造を経て、二度の火事と度重なるボヤ騒ぎをしのいで生き延びてきた、したたかな大年増の風格がある。

今年から商業捕鯨へと踏み出すことになった日本だが、何といっても遠洋捕鯨の鍵は捕鯨船である。耐用年限を迎えつつある日新丸の代替船建造が差し迫った課題の一つになっているのだ。

その点、三隻のキャッチャーボートは船歴十～二十年なので当分は大丈夫だろう。七四〇トンの船体に五，三〇〇馬力という強力なエンジンを備え、高々とせり上がって捕鯨砲を頂く舳先は、キャットウォークと呼ぶ空中の通路でブリッジと結ばれている。切れ味良く旋回しながら波を切って走る姿はまことに頼もしく、機能美を感じるのだが、凌波能力抜群とはいえ、この細身の船体で暴風圏を乗り切る時に乗組員の味わう試練は並大抵ではないらしい。

二月の日々

通信長が飲み会に誘ってくれたので、部屋にお邪魔する。Tさん、機関長、ベテランの製造員さんも一緒だ。通信長が通称「局長」と呼ばれているのは、多分電報電話局の職能を兼ねているからだろう。丸っこい体をした豪快な人物で、土佐出身だけあって飲むのは日本酒ばかり。食卓では私の前の席で面白い食べっぷりを見せてくれる。カレーライスと瓦そばが大好きで、このメニューの時には大盛二杯と決まっていて、鯨の刺身が出る時も丼飯大盛り二杯。しかも手品のように、あっという間に腹に収まってしまうところは、鯨

部屋飲みパーティー

が畝須を広げて顎一杯にオキアミを取り込む姿を思わせる。

機関長Uさんは定年を延長しての勤務なのだそうで、この船では私に次ぐ年長者。しかも平戸のそばの度島《たくしま》出身で、私の郷里とはごく近い。「平戸なら猶興館高校出身ですか」と聞いたら、そうではなく、島の中学を卒業した後すぐ船に乗って、資格試験を一段ずつ重ねてきたのだそうだ。尊敬すべき経歴、物腰の柔らかないかにも苦労人という感じのする人だ。

機関長以外にも宇久島や上五島出身の人が製造部に数人いるし、ブリッジでいつも話をする操舵手のT君は崎戸の平島出身だ。診療所の受診者の中には、今でも沿岸捕鯨が盛んな房総半島の和田港の出身という人もいたし、熊野の太地《たいじ》出身の人もいるそうだ。南氷洋捕鯨の乗組員には、商業捕鯨の時代から沿岸捕鯨の歴史のある地域の出身者が多い、という伝統があるのだ。

飲み会といえば、製造部員のS君が話を聞きたいと言って度々私の部屋を訪ねてくれるので、T看護師も一緒にコーヒーやお酒を飲んだりする仲間になった。S君はこの船に乗るのは初めてながら、これまで経験した職業は実に多彩で、木下サーカスの団員、ボクシングジムのトレーナー、外洋ヨットのクルー、南大東島のサトウキビ農家をはじめ、あちこちの離島の農・漁業の手伝いなど。長くても数年経ったら次に移りたくなって、今までに十ヵ所以上を回っているそうだ。風貌は若く見えても、永遠のモラトリアム人間もそれなりに齢は重ねているはずなのだが、一体どこに落ち着くことになるのか、自分でもまだわからないようだ。

この船の乗組員にはもちろん正社員のベテランさんが多いのだが、製造部門には一航海契約の人も少なくないようだ。陸上勤務に比べれば給料はかなり割高だし、乗船中の衣食住は会社持ち、まして無寄港なので下船時には半年分の給料がそっくり手許に残る。何としても纏まった金が必要、などという訳アリの人には願ってもない条件がそろっている。

私の散歩コースになっている甲板の上には、時々氷の塊が大袋に入れて置いてあり、これはキャッチャーボートが調査の合間に手頃な流氷を掬い上げて届けてくれたものだ。アイスピックで割ってグラスに入れて酒を注ぐと、パチパチといい音がして気泡が出てくる。この気泡は数万年前に雪と一緒に取り込まれた空気の化石だというので、日本に持ち帰ると持て囃されるらしい。なるほど面白い、お土産用に希望者には分けてくれるそうなので早速申し込むことにした。あの店この店のママ達や飲み仲間にもこれで義理が果たせるというものだ。

二月七日。今日は日新丸からキャッチャーボートに給油をする日なので捕鯨は休み。鯨を追って走り回らなくてはならないキャッチャーボートは、油タンクの容量も少ないので時々補給が必要なのだ。

接舷しているこの機会に第三勇新丸の甲板員が三人一緒に受診にやってきた。皆軽傷ながら顔面の凍傷に罹っていて、長時間氷海を見つめて冷たい強風に晒されている苦労が偲ばれる痛々しさだった。軟膏剤を二種類、ひとつは炎症の強い皮膚用にステロイド入りを三本ばかり渡しておいた。

ロシアのタンカーでの相棒で、今はこの船の機関士を務めているI君に会いたいと思って甲板に出ていたら、第三勇新丸の舳先辺りで突然プファーという大きな音が聞こえる。

振り向くと、何と目の前二十メートル辺りに巨大な鯨が浮かび上がるところだった。二つ揃った噴気孔の後方に大きなこぶ状の隆起が見えるのでザトウ鯨に違いない。クロミンク鯨とはスケールの違う大きさにあきれて見ていたら、五、六秒ばかり息継ぎをして又ゆっくりと沈んでいった。ザトウ鯨が潜る時によくするという、尻尾を掲げるパフォーマンスがなかったのは残念。ザトウ鯨は近年非常に増えていて、今までにも噴気を上げるのをブリッジから度々見たことはあったが、こんなに近いのは初めてだった。船が止まっていたので、妙なものがあると思って見に来たのだろう。

この日、日本鯨類研究所から調査団当てに送られてきた指示が回覧された。今年七月以降に始まる予定の日本のＥＥＺ（排他的経済水域）での商業捕鯨に備えて、「勇新丸以下三隻のキャッチャーボートは、帰路を迂回して南鳥島、小笠原諸島、硫黄島周辺海域の鯨類資源調査を行うべし」、という指示だ。捕鯨は行わないので日新丸が行く必要はない。日本のＥＥＺに本当に鯨がいるのだろうか、今後の商業捕鯨の成否を占う重大な鍵だ。

二月八日、朝起きたら船は大揺れ、荒天準備の通達がでている。ブリッジに上がって風力計を見ると風速一八メートルを示している。これほどの風だったら甲板を洗うような大波が押し寄せている筈なのに、その割には波頭は妙におとなしい感じがする。海面をよく見るとシャーベット状に凍った海氷が一面に連なっていて、波を抑えているのだった。このパックアイスのおかげで台風並みの強風にもかかわらず、漂泊していても揺れは何とか立っていられる程度で済んでいる。しかし午後には周りの海氷が少なくなって揺れが強くなってきた。

二月十日、二日前からの荒天はさらにひどくなって風速二十メートルの風が吹いている。船は舳先を風上に向けて微速前進することで何とか揺れを抑えているのだが、昨夜はローリングが強くて布団の中で体が左右に転がされて何度も目が覚めた。体を壁に押し付けて何とか安定させようとするのだが、それもなかなか難しい。

午前九時ごろ、オキアミ調査船の第七開洋丸から通信があって、「五十歳台の航海士が突然意識不明になって倒れているが、どうしたらよいか」と聞いている。この船は五日ほど前に調査を終えて、日本に向けて回航中のはずだ。頭を打ったのでないのなら脳出血か大きな脳梗塞が一番考えられるが、荒天の揺れで転んだのではないのか？電話で詳しく聞こうとしても、相手は動転しているようでサッパリ要領を得ない。とりあえず進路を東に変えて一番近いオーストラリアに向けて走っているという報告だ。

調査船には看護師も乗っていないので応急処置を指示することも出来ず、経過をみるしかない。三十分ほどして意識が回復したと言ってきた。血圧もそれほど高くはないので、タバコと食事を止めてベッド上安静を保つように伝える。翌日になって本人からよくよく話を聞いてもらうと、やはりタラップで滑って頭を打ったようで、タンコブもあるという。麻痺症状、頭痛、吐き気はいずれもなし。それなら多分脳震盪で、差し当たって心配ないので帰国してよいでしょう、と伝えた。

オーストラリアはIWCで最も強硬な反捕鯨国で、シー・シェパードを支援するような国である。捕鯨関係者なら誰しも救急受け入れなど頼みたくない相手、もし頼むとなると水産庁や外務省を通して頭を下げなければならず、諸方面の顔をつぶすことになる。そんな事態にならなくて皆ほっとしたことだろう。この人はその後何事もなく無事帰国したそうで、何よりだった。

二月十二日。四日続きの嵐の後、昨日から風が収まって海は静かだ。朝一番にブリッジに上がってみたら、船の後方に懐かしいロシアのタンカーの姿が見える。今日は二回目の給油をするのだという。一月二日に給油を行って以来四十日あまり、とっくに帰港したものとばかり思っていたが、彼らはこの日の為にこの海域に留まっていたのだ。船体の緑色のペンキが剥げて錆が一層目立ち、なんだか頼りなげに見える。「よくもまあ、」と労ってやりたいような気持が湧いてくる。

南極海の夕焼け

接舷して、給油が始まった。九五〇トンほど入れる予定だという。アナトーリがトランシーバーを持って甲板の上を動き回っているのが見える。手を振ったら、向こうもお辞儀をして挨拶を返してくれた。近くに寄って話ができなかったのが残念だ。タンカーはこの後キャッチャーボートに給油を終えたら、やっとウラジオストクに向けて回航できるのだ。空になって重心の上がった船体で暴風圏通過は大丈夫だろうか、無事の帰港を祈りたい。

二月十四日、昨日からふたたび大時化。今度のは特にひどくて、風の音が尋常でない。横揺れの度に椅子も机の上の物も滑るし、困ったことには冷蔵庫の扉が勝手に開くので頑丈にテーピングをしたのだが、中に入れてあったウラジミルからもらった蜂蜜の容器がひっくり返って、流れ出していたのには参った。惜しみながら紅茶に入れたりして、大事にしていたのに勿体ないことをした。

医務室の棚はもともとしっかり固定されているのだが、それでも大分物が落ちた。船首に打ち付ける波が轟音を伴う振動となって伝わってくる。厨房でも鍋の落ちる大きな金属音がしていたので、苦労しているのだろう。昼食はチャーハンとシューマイ、夕食はローストポークと白身魚のソテー、荒天食にしては御馳走だったが、さすがに汁物は出なかった。

目標捕獲数はあと五〇頭ほど残っているのだが、この十日ほどのうち捕鯨が出来たのは三日だけ、予定の二月末までに達成できるのか、不安になっている船内の雰囲気が伝わってくる。白夜はとっくに終わって、この頃は午後十一時ごろには暗くなっている。日中の気温もマイナス2℃が続き、陽射しがない時には医務室の舷窓から見える風よけシートのロープが凍っている。短い南極の夏は既に終わって、冬の気配が忍び寄っているのだ。

南極大陸、そして目標達成

二月二十日、待望の快晴で無風に近い。数日前から再び南下コースに入って今日は南緯六六度／東経五〇度に達している。いつものように九時にブリッジに上がってみたら、南の方角に黒い岩峰と雪原が見えている。久しぶりの陸地、しかも初めて見る南極大陸だ。船が更に南下するにつれて、三角形の岩峰の後方に雪に覆われた大高原が延々と連なっているのが見えてきた。

南極の陸地の多くはこのような高々とした雪原をなしているのだが、ブリッジにあった「南極科学館」という本によると、実は平均二，四〇〇メートルもの厚さの氷が地殻の上に堆積しているのだそうだ。もしこの氷が全部融ければ、地球の海面は七十メートル以上も上昇するという恐ろしい話なのだが、幸い今のところ南極大陸の気温は南米大陸の南にある南極半島あたりを除けば上がってはおらず、雪原が融ける気配もないとのことだ。

船が移動するにつれて、岩峰と見えるのは標高一，〇〇〇〜二，〇〇〇m級の山脈の一部

南極大陸

海に落ち込む氷河

で、谷の部分には氷河が形成されていて、海へと連なっているのが見分けられるようになった。重力によって押し出された氷河や大雪原の氷塊が海に流れ出す、ここが氷山誕生の最前線なのだ。海には生まれたばかりのテーブル状や山形など、様々な形の氷山が重なり合うように浮かんでいて、あたかも山水画に描かれた桂林の奇勝を見るようだ。

風がない時に船を停めて、調査団の担当者がドローンを飛ばしている。キャッチャーボートが南極大陸をバックに氷山の間を縫って鯨を追いかけているところは願ってもない撮影シーンだろう。あとで見せてもらった映像には、氷海の中に浮かぶ日新丸や、氷山の天辺に出来た池に氷が張って青く光っている光景、二頭のザトウ鯨が組になってオキアミを挟み撃ちにして捕食している、躍動感あふれる姿などが映っていて、よくもこんな絶好のシーンを撮影できたものと感心した。

幸い二月中旬に大きな低気圧が去った後は良い天気に恵まれて、調査捕鯨は順調に進んだ。連日六〜七頭が捕獲されて、ついにその日がきた。

二月二十七日、快晴。三三三頭目の鯨がその日の四頭目として渡鯨され目標達成、打ち上げとなった。最後の一頭は七トンの雌、フィナーレを飾るにふさわしい立派な鯨だ。いつもは関係者以外立ち入り禁止となっている解剖用の後甲板に、当直者以外の全員が集合

333頭目の鯨

して、鯨を囲んで記念撮影。八十名ほどが笑顔で写っている。その後早速解剖が始まるが、この時ばかりはすぐそばで作業を見学するのも許された。

この機会に、工場管理の担当社員さんに頼んで、操業中の工場を案内してもらった。しょっちゅう耳にするのに、何のことか分からなかった「パンたて作業」というのは、切り出した鯨肉を十キログラム規格のステンレスの型枠に詰めて、冷凍庫へと送り出すことだと了解した。むかし鯨屋の店頭で見かけていた四角い冷凍鯨肉の塊はこうして作られていたのだ。製造部員達は流れ作業のラインに付いて黙々と働いている。

担当社員さんの説明ではクロミンク鯨三三三頭から製造される鯨肉は千トン前後、

肉の卸値は一キロ千円位で、十年前より五百円安くなったというから、調査副産物の鯨肉を販売して経費に充てるといっても、これでは船団の燃料費を賄うのがやっと、というくらいではなかろうか。

打ち上げといっても宴会があるわけでもなく、写真撮影の後は流れ解散。それでも皆ニコニコ顔で、これでやっと帰れるという安堵感で十分なのだろう。事故や火事を教訓に、羽目を外すことのない堅実な社風が出来上がっているようだ。

この後、キャッチャーボートは油と食料などの補給を受けて、小笠原海域に向けて出発していった。本船もボツボツ帰港へと舵を切る。

その夜、T看護師と製造部のS君の三人で部屋でビールを飲んでいたら、この天候だとオーロラが見えるかもしれないという話になった。気温はマイナス４℃なので身支度をして屋上のデッキに上がってみると、すでに先客が数人集まっている。滅多にないような満天の星空、南極圏はもう秋になっているのだが、天の河がくっきりと見えている。いつも気になっている南十字星は、星座の本によると天の川の中で一番目立つケンタウルス星の東で、左下にはコールサック（石炭袋）という暗い空間がある筈なのだが案外わかりにくい。

その夜、オーロラが…

多分あれだろう、などと言っているうちに、大きな白いカーテン状の光が天の川に重なるように見えてきた。「これはオーロラだよ」と誰かが教えてくれる。色の具合はその時々で、白く見えることも多いらしい。それに満足して、寒いので引き上げたのだが、その夜の十二時ごろには青や緑に彩られた鮮明なオーロラが船の真上を覆うように現れたそうだ。調査団の人が撮影した美しい画像をあとで分けてもらった。

それにしても調査捕鯨最後の夜に、美しい星空と、ただ一度だけのオーロラまで見せてくれるとは、南極の女神も味なことをしてくれるではないか。

帰路航海、再び暴風圏

これから一ヵ月かけての帰りの航海が始まる。今回の調査は今までの中でも最も西の海域で始まったので航程も延びているのだが、それにしても一ヵ月は長いなあ。どういう訳か分からないが、下関での入港式は三月三十一日（しかも日曜日！）と初めから決まっていて、それに合わせて走るのだそうだ。

三月一日、捕鯨終了を待っていたかのように、回航初日から低気圧に迎えられた。南緯六〇度／東経七三度、まだ暴風圏には入っていないのに風速二十四メートルという強烈さ、船は低気圧をやり過ごすために時速七ノットでゆっくり進んでいる。この日から暴風圏を抜けるまでの七日間、偏西風による西南西の強風が吹き続けた。大型帆船にとってはアビームから真艫《まとも》にかけての絶好の風、伝説の快速帆船、ティークリッパーのカティサーク号なら荒波を突っ切って十五ノット以上のスピードで走るんじゃないか、などと勝手なことを想像する。

帰路の暴風圏

三月六日、南緯四八度、暴風圏はまだ抜けきらず波が高い中、気温が日ごとに上がってきて、往路航海の時におなじみの濃霧が立ち込めている。大分東に進んだのでこの三日間で時計を二時間進める調整をした。

二日後、日差しが戻って来て、後甲板では諸々の片付け作業が本格化している。まず敷き詰めてある床材を一枚一枚丁寧に洗う。商業捕鯨時代の第三日新丸までは床材はすべてが木製で、捕鯨終了後はタップリ鯨の血を吸った木材を毎年海に投棄していたそうだが、日新丸では合成樹脂製の耐久性の高い材質になっている。

船内のあちこちに設置されていた、寒冷防御を兼ねたドアなどの仕切り、妨害活動対策のフェンス、ネットも片付けられ、甲板上の往来が自由になった。

妨害活動といえば、シー・シェパードの妨害は三年前を最後になくなっているのだが、ここで一寸、あまりにも有名になった彼らの妨害活動に触れておこう。

シー・シェパードの妨害活動

地球環境保護を標榜するNGO団体グリーンピース・インターナショナルが日本の調査捕鯨の妨害を始めたのは一九八八年、その分派であるシー・シェパードは二〇〇五年から南極海に姿を現すようになり、その活動は年々激しさを増していった。

具体的な手口は、調査船のスクリューを狙ってロープ等を投入する航海妨害、鯨とキャッチャーボートの間にボートを割り込ませる捕鯨妨害、スリップウェイの周りにボートを突入させる渡鯨妨害、船への不法侵入、衝突による船の破壊、そのほか発煙筒や薬品瓶を船内に投げ込むなど、いずれも極めて危険なテロ行為である。私が診察した乗組員の中にも、酪酸入りの瓶を投げられて化学熱傷の被害を受けた人がいた。船団はこれらの犯罪行為によって人的、物的被害を被ったのみか、調査はしばしば停滞を余儀なくされた。

ついには、体を張って渡鯨を妨害している迫真の映像を撮影するために、日新丸と妨害ボートの真上にヘリコプターを飛ばせるようなことまでしている。ヘリコプターを南極海まで運ぶのだから莫大な費用が掛かったに違いない。一体何の為にこんなことをするのか不思議だが、実はこの妨害活動の映像は、アメリカの人気テレビ番組、リアリティ・ショー「ホエール・ウォーズ」で放映するためのものだったのだ。このシリーズはお茶の間の人気を呼び、二〇一五年の「シーズン7」まで続いた。こうなると、アメリカでは反捕鯨が娯楽産業の一翼を担って、絶好の儲け仕事になっていたと言わねばなるまい。

人目を惹く奇抜な船を購入したり、多くのスタッフを雇ったりしているところをみると彼らの事業は経済的にも成功していたらしく、代表のP・ワトソンはマスコミではスター扱いだったという。

これに対して調査捕鯨を行う側の日本鯨類研究所と共同船舶株式会社は、二〇一一年に米国ワシントン州連邦地方裁判所にシー・シェパードとP・ワトソンを提訴した。裁判所は二〇一四年に妨害により生じた損害の弁済を命じる判決を下し、二年後には恒久的妨害禁止を命令した。シー・シェパード側は二五五万ドルの賠償金を支払い、二〇一七年には

妨害対策の放水砲

「今後、南極海調査捕鯨船団への妨害活動を行わないであろう」との声明を発表、それ以来南極海に姿を見せなくなっている。

それでも万一現れた時のことを想定して、船団の方もいろいろと対策をしている。かつて海上保安庁の保安官が日新丸に乗り組んでいたのに代わって、現在も警備会社の担当者が乗船しているし、政府の配慮により高性能レーダー装置が設置され、妨害船の動きをいち早く察知して、遭遇を回避できるようになっているらしい。さらに船内には遠隔操作の放水砲、不法移乗や薬品投擲対策の防護網などいろいろの備えが準備されていたのだが、今次航海ではこれらを使うことがなかったのは幸いだった。

それにしても「あの愛らしい鯨を食べる

野蛮な日本人」と、ことあるごとに騒ぎ立てて、南極海にまで押しかけていた彼らの反捕鯨キャンペーンが、ここ数年まるで瘧《おこり》が落ちたかのようにぱったり止んでいるのはどうしたことだろう。所詮はマスコミにあおられた一時の流行で、日本人に対する愉快犯的な嫌がらせの気分を楽しんでいただけなのだろうか。そもそも地球環境保護と南極海捕鯨がどうして結びつくのか、今もってよく理解できないのだが。

インド洋、そして下関まで

三月十日、南緯三三度まで戻って来た。暴風圏を抜けた途端に海は静かになり、気温は三日間で十五度上がって二十℃になっている。あまりにも気温の変化が急激なので一寸心配になるが、体調不良を訴える乗組員はおらず、解放された広い後甲板ではジョギングなど毎日運動をする人が多くなっている。

三月十二日、気温二十四℃になって冷房が始まった。食肉製造部門の作業スケジュールは調査捕鯨期間中にはカレンダーに関係なく、休んだのは正月の二日間だけだったが、捕鯨終了後は日曜日は休みになっている。今日は日曜日なので皆朝寝でもしているのか船内は静かだ。久しぶりの休日とあって、サロンではマージャン卓を囲んでいる連中もいる。

工場は休みとは言え、帰りの航海中も製造部にはいろいろ仕事があって、百本近くある捕鯨銛の補修を始め、製造機械の手入れから甲板の錆落しやペンキ塗りまで、毎日何かしらやっているのだが、昼休みには後甲板で三角ベースをしたりして仕事にも余裕が感じられる。

日新丸乗船中の暇つぶしの話をしておこう。衛星通信で日本とのメールのやり取りが出来たので大いに利用させてもらった。ただし通信は一日二回、船の通信室でまとめて発・受信するシステムになっていて、妨害船対策として船の位置がわかるような内容は発信禁止になっている。こんな機会でもない限り消息のやり取りなどしないような相手とも、大いに懇親を深めることが出来て有難いことだった。

パソコンの囲碁ゲームはよく使った。ついつい熱中する割には一向に勝率は上がらなかったのは残念だったけれど。

日頃はほとんど縁のない映画のＤＶＤが船内に沢山ストックしてあったので、数日に一本くらいは見ていた。七巻の続き物になっている「ハリー・ポッター」は途中まではなかなか面白かったのに、その後つまらなくなったのは残念だったが、こんな機会でもない限り先ず観ることはなかっただろう。

持参した本は少なかったのですぐ読んでしまい、サロンに置いてある段ボール箱に入れてある文庫本などにお世話になった。夢枕 獏の「大江戸釣客伝」はこの作家の作品中でも白眉ではなかろうか、上巻だけしかなかったので、帰ってから図書館で下巻を借りて読んだ。宮部みゆきのミステリーも堪能した。

ブリッジの本棚には鯨や南極海に関する書籍や、日本鯨類研究所が発刊したＩＷＣと調査捕鯨を解説したパンフレットが数冊置いてあったので興味深く読んだ。これらのおかげで南極海捕鯨の歴史やＩＷＣの問題点が理解できたと思う。

調査団長さんが貸してくれた「日本鯨類研究所三〇年史」には、長年にわたって蓄積された鯨類調査の研究成果が詰め込まれていて、素人には専門的過ぎる内容も、我慢して読み込んでいくと色々と発見がある。例えば、乱獲によってシロナガス鯨が激減した後の南極海で起こった、オキアミと棲息海域をめぐる、まるで戦国時代のような鯨種間のせめぎあいの流れが読み取れて面白かった。

三月十三日、のんびり過ごす日々が続く中で、初めて重傷と言えるほどの怪我人が発生した。製造部員の一人がベルトコンベアの補修作業中に、ベルトとローラーの間に左手を巻き込まれて受傷。手関節以下が内出血して腫れあがり、手掌の皮膚は挫滅していて手指はかすかに動く程度だ。

傷を洗浄して医務室のベッドに収容し、腕の挙上と氷による冷却を開始する。ポータブルレントゲン装置が役に立つ時が来た。トランクケースに入っているのを三十分ほどかけて組み立て、撮影してみると、なんと中手骨と基節骨のほとんどすべてに横骨折があるではないか！　待てよ、いくら何でもおかしい。改めて両手をそろえて撮影してみると、健側にも骨折線があるように見える。船が絶えず揺れているために、超小型管球の長い露出時間の下ではアーチファクトによる画像のずれが起こっているのだ。危うく誤診するところだった。少なくとも大きな骨折はないと判断し、保存的治療を続けることにした。

すると今度は二日後、夜中にエンジンルームで倒れていた機関員が、意識不明の状態で運ばれてきた。熱中症と診断して大量輸液と体の冷却を始める。間もなく意識を回復したので一安心だが、これも収容が必要だ。診療所にはベッドは一つしかないので、手の怪我人には自室にお引き取り願った。熱中症の方は点滴と休養で後遺症なく回復、三日後無事退院となった。

手の怪我人は外固定と冷却を続け、大量の血種を絞り出しながら圧迫と手指の運動に努めたので、皮膚壊死は小範囲で済み、手指の拘縮も起こさず経過良好であった。

それにしても、折角今まで保たれていた「名医がいるだけで怪我人も出ない」効果が敢え無く無効と判明したのは残念だった。T看護師が言っていた「暇な航海中に怪我が多い」というジンクスは、今航海でも大当たりだったわけだ。

この航海では、生命にかかわる程の病気や大手術が必要な外傷など、医務室で対応しきれないような事態が起こらなかったのは僥倖《ぎょうこう》だったが、もし起こっていたらどうなったか、これは考えるだに恐ろしいことだった。正直に言うと、心配しても仕方のない事なので考えないようにしていた。出来る事は少ないながらも、精一杯の事をするとしか言い様がない。

二次以上の医療が必要になった時の条件の悪さにかけては、南極海で操業中の船団は日本中の数ある職場の中でも屈指の存在だろう。操業海域の周りにある何れかの反捕鯨国に頼み込んだとしても、病院のある所まで余りに遠いのでヘリコプターは使えないし、港にたどり着くのに急いでも五日はかかる。月島の共同船舶本社でその辺りの不安を話した時には、労務担当者は「ベテランの乗組員達は、皆覚悟していますよ。」と言っていた。本当は一番覚悟が必要なのは当方なのだが、それは言わずにおくことにしたのだった。

三月十八日、快晴。六時半に起きて船窓を覗くと、間近に緑の木々に被われた島が見えている。海にはアウトリガーと船外機をつけた、水澄ましのような漁船が大波に揉まれながら沢山浮いている。ロンボク海峡に達したのだ。三ヵ月ぶりに見る山の緑が目に沁みる感じがする。

急いでブリッジに上がってみると、右手にロンボク島、左手にベニダ島、そしてその奥に思いがけない高さに屹立している火山が見える。バリ島のアグン山だ。双眼鏡で見ると溶岩流の跡をくっきりと残す急峻な三角錐、噴火口の平坦部の辺りには雲がかかっている。山容は富士山に似ているが、これは大分傾斜の急な、北斎にデフォルメされた富士だ。

ジャカルタ観光用に持ってきた「地球の歩き方」を開いてみると、標高三，一四二mのアグン山はバリ島の伝説では神々の玉座の鎮まる聖なる山として崇められ、その麓にはバリ・ヒンドゥー教の総本山ブサキ寺院の大伽藍が建つ、とある。五十五年前には大噴火で死者多数を出しており、現在でも小規模な噴火を繰り返しているという恐ろしい山である。この時の大噴火は、百年に一度の神聖な祭の日取りを寺が勝手に変えた罰だ、と信じられているのだから、人々が崇め畏怖するのもむべなるかな。

海岸近く聳えているので、その姿から受ける迫力は富士山ののどかで天晴れな雰囲気とは違って、ただ事ならぬ感じがある。船が海峡を抜ける三時間ほどの間、微妙に変化し続

アグン山とロンボク海峡

噴火を繰り返すアグン山

けるたたずまいを見ていると、この山は海上から眺めた姿こそが真骨頂なのかも知れないと感じた。

これからマカッサル海峡へと向かう。インド洋を抜けた途端、鏡のように静かな海になった。頻繁に行きかう大型タンカーの他に島々を結ぶフェリーも散見されて、雲と水の他は何も見えない海を通ってきた後だけに人々の生活の気配が懐かしく感じられる。


三月二十日、赤道を通過した。気温二十八℃、午前中スコールの中に入って甲板には激しい水しぶきが上がっていたが、十五分くらいで抜けた。暑さもそれほど強くは感じられず、日本の夏よりよほど過ごしやすい。

セレベス海を抜けてミンダナオ島、レイテ島の東方をフィリピン海溝に沿って北上する。この数日通ってきた内海とは違って、さすがに太平洋の西の縁なのでうねりが強い。

この日、鳥島や小笠原諸島辺りで目視調査中のキャッチャーボートから通信があったところでは、その辺りの日本のＥＥＺには鯨の影は少ないとのこと、ＩＷＣに絶縁状を叩きつけたのはよかったが、鯨がいなければ日本の捕鯨の将来はどうなることだろう、心配なことだ。

三月二十七日、久しぶりにT看護師、製造部員S君と三人で部屋飲み会を催す。T看護師は顔が効くので、製造部辺りからのルートでクジラの心臓や極上霜降り肉を仕入れてきてくれた。心臓の刺身は初めて食べる珍味、航海もあと五日なので残してあったビンタンビールやTさん提供の芋焼酎などを久しぶりに痛飲した。

航海が始まって以来、必要に迫られて酒量は減っており、特にこのところは日本酒に換算すると日に一合弱くらいか。それも寝酒に飲むだけだから、読書や書き物をするにも夜の時間が実に長く感じられる。こんなに長く節酒するのは近来にないことで、我が肝臓はびっくりしていることだろう。日頃からこんなことができれば大した勉強家になって、読書量もぐんと増えるだろうにと思うのだが、飲もうにも酒がないからできること、分かってはいても実行できないところが凡人の悲しいところだ。

次の朝十一時頃、南大東島の西方二〇マイルを通過。この島には三十年近く前にダイビングツアーで一週間ほど滞在したことがあるのだが、その時は那覇から飛行機で往復したので海から島の姿を眺めるのは初めてだ。意外に大きな平たいシルエットが広がっている。絶海のただ中に珊瑚礁が隆起して出来た島で、周りが擂り鉢の縁のように盛り上がったその先は断崖になっていて、港のない島だった。沖縄から週一回連絡船がやってくるのだが、船を接岸して静止できないので、乗客の乗り降りや荷役を、波の合間を見ながら陸からのクレーン操作の離れ業でやっていた光景を思い出す。

この島の電波局を使えば国内に携帯電話が通じるので、皆、電話やメールで忙しい。

この先普通に走れば早く着くところを、時間調整の為に速度を落とした上に、三月三十日には宮崎の沖で一晩漂泊した。

毎朝届けてもらった衛星共同通信ニュースは三月二十九日をもって終了となった。毎日一人でニュースを受信して印刷し、船内に配ってくれたT通信士の勤勉さに感謝だ。三十日からは九州本土からのテレビ電波が受信できるようになった。この四ヵ月間テレビもラジオも存在すら忘れていたが、全く不都合は感じなかったな、無くても済むものだと改めて気付かされる。


三月三十一日、朝六時半に目覚めて、舷窓を覗くと朝もやの中に大きな島影が見える。どうやら国東半島沖の姫島らしい。ブリッジに上がってみると海上には白波が立っていて、気温八℃、明日から四月というのにやけに寒い。後で聞いたところでは、この寒さは三月中旬から続いていて、おかげで今年は花の時季が遅れたらしい。十時、瀬戸内海の西の端、満珠島の沖でパイロットが乗船して来た。

関門大橋にさしかかると、門司側の和布刈《めかり》神社にも、壇ノ浦の赤間神宮の周りにも桜が満開だった。山の緑と花の色があやなす景色が格別に美しく感じられる。
入港式の準備が整った下関のアルカポート岸壁に日新丸が着岸したのは、予定通りの三月三十一日午前十一時だった。

終り

満開の桜が迎えてくれた

下関港に着岸、お疲れさまでした

二、佐世保が生んだ明治人達のファミリーヒストリー

過日テレビのスイッチを入れたら、NHKで「ファミリーヒストリー」という番組をやっていた。音楽家の坂本龍一氏の家族の話ということなのだが、「サセボ」という言葉が出てくるので興味をひかれて聞いていたら、坂本氏の母方の祖父にあたる方が旧制佐世保中学校の出身だと言っている。「下村彌一」というその名前には憶えがあった。

旧制佐世保中学校（以下佐中）は平成二十年に創立一〇〇周年を迎え、卒業生も皆高齢となったので同窓会を解散することになったのだが、解散にあたって、同窓会は総力を挙げて「草木ケ原」という記念誌を編集した。たまたま卒業生の御一人にお借りして読んだばかりだったその本の中に、下村彌一という名前が出てきて、その人にまつわる記事はざらにはない話なので印象に残っていたのだ。佐世保出身の人物の興味深い話なので、紹介してみたいと思う。

インターネットで調べてみると、下村彌一氏には「わが師わが友」という著作があるのが分かったので、図書館に行って借り出した。非売品の自家出版ながらB６判ハードカバーの立派な製本で、表紙の装丁には平山郁夫画伯の「斑鳩里曼荼羅ーいかるがのさとまんだらー」という絵が用いてある。

下村氏自身の佐中時代の話は巻末に収録されている「私の生い立ちと結婚」のところで短く触れられているだけなのだが、簡潔ながら十分に当時の様子が理解できる内容なので、これをもとに書いてみよう。これから先は敬称は抜きにしますよ。

下村彌一は明治三十年に諫早で生まれた。先祖は佐賀藩の士《さむらい》で相当の家格であったのだが、祖父の代に零落して小作人になっていたので、父 代助は当時海軍鎮守府ができて活況を呈していた佐世保に一家を挙げて移住して来た。以下は氏の文章の引き写しである。

―高等小学校を卒業して佐世保海軍工廠造機部製図工場の見習工になったが、向学心やみがたく在職四年で辞め、独学で中学卒業の検定試験を受けたいと思った。しかし独学の困難なことを知り、やはり中学校に入りたいと思い、大正四年十月の或る日曜日の朝、県立佐世保中学校長・佐藤秀一先生の官舎の門をたたいた。当時、県立中学校長は鎮守府司令長官や市長に次ぐ名士である。その名士に面会を求むるに誰の紹介もなく、しかも突然の訪問であるから「めくら蛇におじず」であったが、先生も型破りで「まあ上がれ」と言って応接間に通された。「私は年をとっているから、四年に入れていただきたい」と率直に切り出した。私の熱意に動かされたのか先生は「よし分かった。転校生と一緒に試験して出来たら入れてやろう」と言われた。試験の結果は上首尾で、晴れて四年に入学することが出来た。―

当時の県立佐世保中学校は、それまで子弟を中学校に進学させるためには平戸の猶興館か大村、又は県外の鹿島や佐賀までやるしかなかった佐世保市民（市政施行は明治三十五

当時の県立佐世保中学校校舎

年）の長年の念願がやっとかなって、明治四十二年に出来たばかりの地元の最高学府であった。通称「草木が原」と呼ばれていた将冠岳のふもとの高台を切り開いた敷地に、玄関を挟んで両側に塔屋をそなえた風格ある洋風二階建ての校舎が建設され、その壁面は美しい青色に塗られていた。（この地はその後県立佐世保工業学校、八幡小学校を経て現在清水小学校になっている）

入学定員は一〇〇名、入学試験は常に競争率五倍に近い狭き門であった。大正四年といえば前年に第一回卒業生が出たばかりの時期、ただでさえ難関なのに、入学試験を経ずにいきなり四年生とは破天荒なことで、当時さぞかし話題になった出来事であったに違いない。校長にそのような権限があったというのも驚きである。

その後下村彌一は無事佐中を卒業し、校長らの期待に応えて更に旧制第五高等学校、京都帝国大学へと進学していく。

次は結婚にまつわるエピソード、これも下村氏の文章から。

―大正十年の夏休みに佐世保に帰り、母校白南風小学校の同窓会に出席して私は挨拶をした。その直前、五高対七高の対校野球戦には四百名の五高応援団と熊本市民からなる三百名の後援団を引率し、私は応援団長として旗鼓堂々鹿児島に乗り込んだ。当時この対校戦は全校を上げて青春の情熱を燃やした行事であるのみならず、熊本対鹿児島市民の対抗戦でもあった。この時は第三回目であったが首尾よく圧勝して前年の雪辱をはたした。その直後、同窓会の演壇に立った私は弊衣破帽、意気揚々たるものであった。これが同校の先生をしていた美代の母の目にとまった。母は男まさりの女傑で、蛮勇の私を好んだらしい。一夜招ばれて母子家庭を訪ね、夕食をごちそうになったことがある。

これから三年を経て大正十三年春、母はかねて実践女子専門学校に在学中の美代と一緒に東京で暮らすべく教職を去って佐世保を引きあげたが、その上京の途中、京大在学中の私に会いに寄ったのが美代と結ばれる決め手になった。―中略― かくて大正十五年十二月五日、結婚にゴールインした―

このお母さんは、自分がこれと見込んだ大学生に娘を娶ってもらうために、娘同伴で在学中の本人の所に押しかけ、思い通りの結果を収めているのである。先の下村彌一の佐中編入の話といい、この時代の佐世保人たちの積極性、行動力にはまったく驚かされるではないか。

愛妻 美代さんについては、「わが師わが友」の中に収録されている「亡妻記」にその生い立ちが書いてある。それによれば、明治四十年に父 三浦徳一、母 朝千代の長女として佐世保で出生している。

父の兄は日清戦争の黄海海戦の最中、「まだ定遠は沈みませんか」という言葉を残して壮烈な戦死を遂げ、「勇敢なる水兵」として唱歌に歌われた三浦虎次郎なのだそうだ。この人の名前は当時、佐世保市民はおろか、日本中に知られていた。墓は東山町の佐世保海軍墓地にあって、水兵の墓だから大変ささやかなものながら、墓前には今も花が絶えない。

三浦虎次郎の姪というだけでも有名人の資格があるというものだが、美代さんは県立佐世保高等女学校（明治四十五年開校）に通っていたころから美人の誉れ高く、すでにファンクラブのようなものがあったようで、その後母娘が京都の下村を訪れた際にも親衛隊らしい佐世保出身の帝大生たちがエスコートしている。

母 朝千代さんは美代さんを生んでまもなく離婚して、小学校教員をしながら一人で美

前列左：美代さん、前列中央：朝千代さん、後列中央：下村彌一氏
他は、美代さんの親衛隊らしい帝大生たち

代さんを育て上げたのだが、先に触れたように四十歳で娘と一緒に上京した。向学心旺盛な朝千代さんは、娘が通う実践女子専門学校の聴講生として、学園の創立者 下田歌子に国文学を学ぶようになった。やがて下田女史の目にとまり、当時やもめ暮らしをしていた同校の理事長で、高知県や岩手県の知事を務めた元内務官僚の柿沼竹雄との間を媒酌され、再婚することになる。もちろん美代さんが下村彌一と結ばれた後の話である。

さてここでやっと話は本筋に戻るが、下村と美代さんの間に生まれた長女敬子さんが、河出書房の編集者であった坂本一亀と結ばれて生まれたのが坂本龍一、というわけなのである。坂本一亀は純文学への志を抱き、三島由紀夫や高橋和巳を始め多くの新人作家を育てた、知る人ぞ知る伝説的編集者である。

下村彌一のその後は、大正十四年に京都大学法科を卒業後、共保生命（後の野村生命）に入社、昭和三十一年専務、その後不二サッシ専務を経て昭和四十七年東亜国内航空（TDA）社長などを務め、日本実業界を代表する経済人の一人として活躍した。昭和五十七年に五十六年間連れ添った美代夫人に先立たれてからも、いくつかの大病を乗り越えて、平成二年に九十二年の生涯を閉じた。

美代さんと下村彌一

「わが師わが友」は、五高在学中から氏が師事した曹洞宗の僧侶、沢木興道師の事績と、これも五高以来の親友 池田勇人の思い出と評伝を中心に、自伝の要素も入った文集である。生前の本人の強い希望にこたえて長男下村由一が発起し、娘婿の坂本一亀の編集を経て平成三年に出版されている。

この本の読後感として思うのは、優れた人物は逆境にあっても努力によって自ら光を放ち、しかも才子佳人とでもいうべき同類と縁がつながっていくものなのだなあ、ということだ。佐世保が生んだ傑物たちのファミリーヒストリーとして脳裏に残る物語である。

追伸1

この話の中に出てきた下田歌子という人は、明治から大正にかけて活躍した日本女子教育界の大立者である。

微禄の家の出身ながら抜擢されて女官として宮中に採用され、和歌の才能と学識を発揮した。明治天皇の皇后美子《はるこ》（昭憲皇太后）から、和歌の誉れとして「歌子」という名前を下賜されるほどの寵愛を受けたのをバックに、華族女学校（女子学習院の前身）の創建に関与し、後に実践女子専門学校の創立者となった。のみならず、伊藤博文ら明治の顕官たちと浮名を流し、今の世ならさしずめ週刊誌やテレビのゴシップ番組が放っておかない存在であろう。

面白い話には滅法鼻の利く小説家 林真理子が「ミカドの淑女 ―おんな―」（新潮文庫）という作品に来歴を描いている。

追伸2

この話を佐世保市医師会報（一六〇号、平成三十年）に掲載したところ、大先輩の松村哲男先生（松村耳鼻科前院長）からご連絡を頂いた。先生の父君、松村巌夫《いつお》先生は下村彌一氏と佐中の第五回卒業同期で親交があり、哲男先生ご自身は下村氏の佐中と旧制五高の後輩にあたるのだそうである。そのことを次号の医師会報に、五高創立一〇〇周年記念祭の時の、当時八十九歳の下村氏と一緒に撮った写真を添えて投稿していただいた。

89歳の下村彌一氏と松村哲男先生

三、佐世保近郊の地形を楽しむ

——吉冨　一先生の二冊の著作から——

このところ毎日聞かされるのは、益々広がる気配を見せる新型コロナウイルス流行のニュースばかり、加えて梅雨の長雨で屈託していた二〇二〇年七月、何か面白いことはないかなと思っていたら、高校の頃に授業で聞いた郷土の地形の話がふと頭に浮かんだ。土曜日のTV番組「ブラタモリ」は以前から楽しみにしていて、中でも地形の話には毎回興味をそそられている。身近な地形の詮索で浮世離れするのも乙ではないか。

佐世保北高校で面白い授業をしてくれた吉富 一先生が書かれた本がある筈なので、早速図書館に行って探してみたら、あった、あった、「佐世保及近郊地形誌（以下A書という）」と「佐世保近郊の地形と人生(同B書という)」。地元の隆文社から昭和四十年と四十七年に出ている。以下はこの二冊で味わったお楽しみのお裾分けである。

佐世保市街地の形成

本の記載順に従って、先ず明治初期の佐世保の原風景の絵解きから始めて見よう。図1、図2は山縣家秘蔵の明治十九年の墨絵と地形図である。この墨絵は筆者が十年前に「佐世保共済病院一〇〇年史」を編纂した時にも、お願いして表紙見開きに使わせていただいた思い出のある絵だ。その時は何が描かれているかよく分からなかったのだが、吉富

図１：明治19年の佐世保〔A書：p9〕
前方に赤崎岳がそびえ、右手前の岬は戸尾小学校の高台である

先生の解説を読んで目からうろこが落ちる思いがした。この絵は元の戸尾小学校裏手辺りの高所から今の繁華街と佐世保湾を見下ろした構図であるらしいので、そのつもりで見ていただきたい。

前方に大きく聳えている赤崎岳、左手の湾内の一里島は今もあまり変わっていないので分かるとしても、その他の景色はよほど様子が変わっている。

左手に半分描かれている美しい山景は現在海上自衛隊などがある倉島で、その手前の山は三浦町から白南風町辺りに連なる山手、右下に描かれている松の生えた尾根は元の戸尾小学校が乗っている高台なのである。その尾根の突先から斜めに伸びているのは山県新田の干拓堤防で、先端は「えび

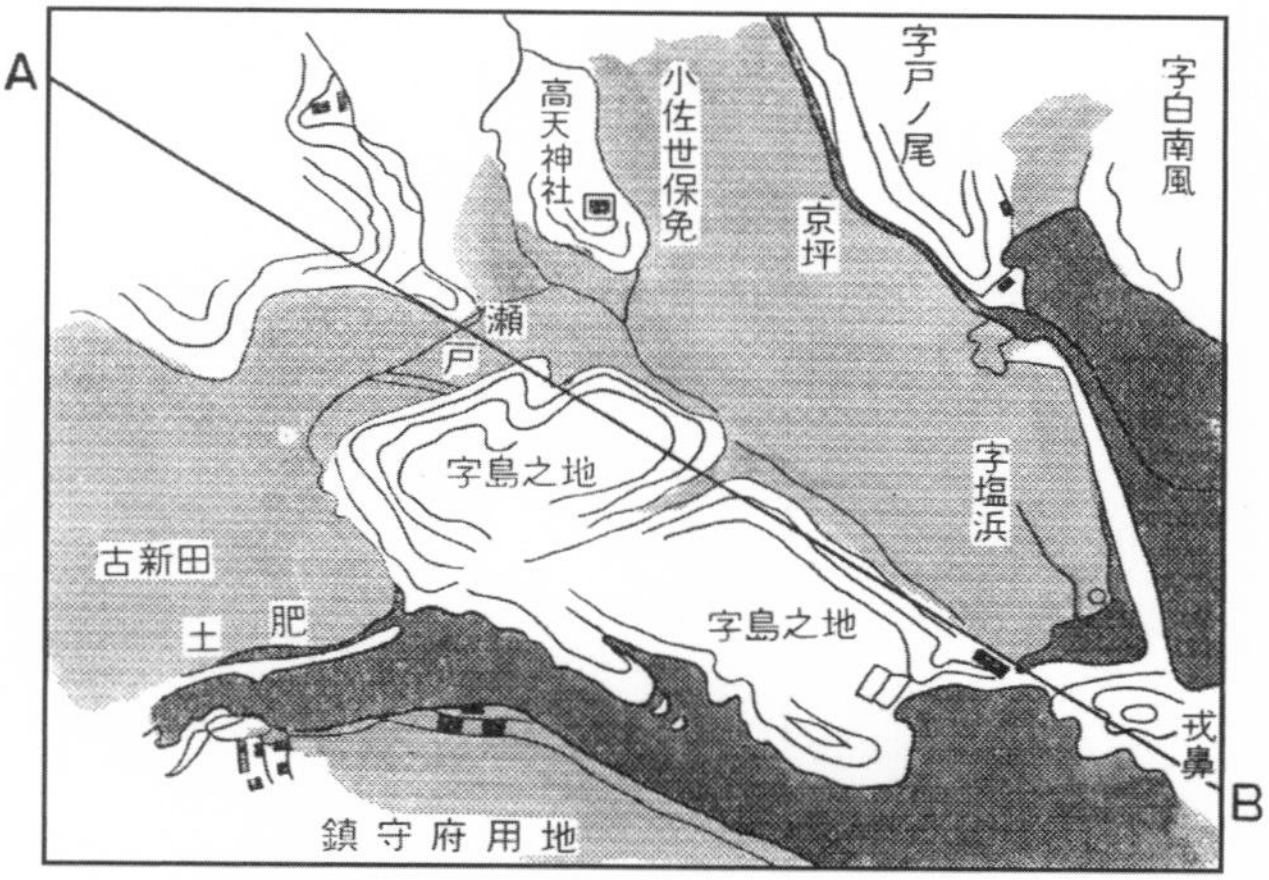

図２：明治19年の佐世保地形図〔A書：p105〕

す鼻」と呼ばれた小島につながっている。万津町にあったこの小島は昭和十三年に切り崩されていて、突端に祀られていた亀浦恵比寿社は近くに移されている。その右手が島地山。その右奥に四つほど小島が描かれているのがＳＳＫ付近にあたるらしい。堤防のすぐ内側は塩浜町に当たり、墨絵風に絵画化されているとはいえ、佐世保湾が現在の市街地の奥深くまで入り込んでいて、九十九島と同様の美しい海岸線だった様子がよくわかる。

　余計なことながら、そうと知って眺めていると、山縣家がわざわざ絵師にこの絵を描かせたのは、干拓事業を記念する為だったのではなかったかと気付くのである。

　図２を見てみよう、塩浜を囲む干拓堤

防の図面が描かれている。戸ノ尾の尾根際を流れる川（小佐世保川）の傍の、堤防の起点となっている所には小島が描かれているが、これはトンネル横丁の向かいの旧佐世保中央病院の前身、かつての富永医院が乗っかっていた小高い丘の、元の姿なのではなかろうか。

そして今MR鉄道の高架橋がかかっているあたりと思われる所には「瀬戸」と記されている。してみるとこの周り一帯はかつては波洗う海峡だったのであろうか、と思いたくなる。このことについては、佐世保史談会の坂田直士名誉会長の著作の中に詳しい説明があって、興味深い内容なので引用してみたい。

― 島瀬町は小字「島ノ地」とその東の

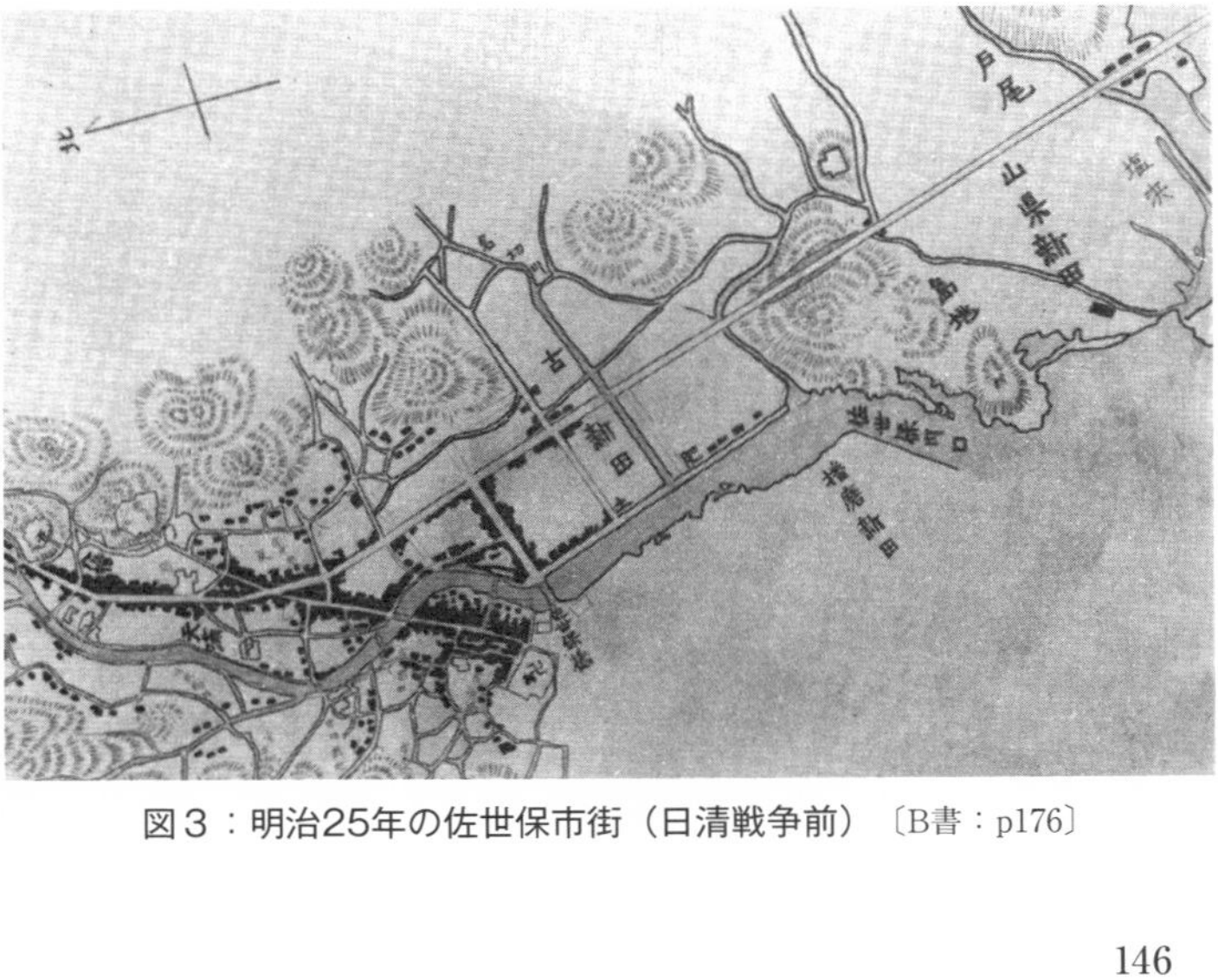

図３：明治25年の佐世保市街（日清戦争前）〔B書：p176〕

「瀬戸」の頭文字をとった地名である。この瀬戸は島地岳と樝山《はぜ》の間の狭戸《せ》で、光月川の流れる低湿地であった。瀬戸とは必ずしも海水の流れる所ばかりでなく、陸地でも、両方から山が迫り、狭くなった通路を瀬戸といった。大野の「瀬戸越」もそうである。―（「佐世保の地名は語る」一七頁、隆文社　二〇〇一）。

この絵が描かれてからわずか六年後の明治二十五年の陸地測量部発行の佐世保市街図がある（図3）。海軍鎮守府が設置された後、官主導の整然とした市街地建設が急速に進んでおり、現在アーケード街になっている本通りが島地山の東側三分の一を切り崩して一直線に伸びているのが描かれている。

さらに六年後、明治三十一年には日宇村福石免の海岸を埋め立てて佐世保駅が開業、潮見町までが佐世保村に編入された。その四年後、佐世保村は一挙に市政を施くに至るのである。もしこれを平成十九年から三十一年までの出来事に置き換えるとしたらどうだろう、現代の我々といえども、さぞ目が回ることだろう。

佐世保近郊の溶岩台地地形

佐世保を含む北松浦半島の地形はかなり特異なものであるらしい。

烏帽子岳に登って北方に目を向けると、八天岳、国見岳、松浦、平戸に到る連山を見渡すことが出来るが、その連なりはほとんど水平に近く、しかも西に行くに従って低くなっていることに気付くだろう（図４）。これは元々あった洪積世代の古い堆積地層の上を、数十万年前に噴出した流動性の高い溶岩が覆った「溶岩台地」と呼ばれる地形なのだそうだ。地質学的には新しい出来事に属する。その後、志佐川、江迎川、佐々川、相浦川、佐世保川などの河川の浸食作用により、佐々谷や相浦谷などの地形が出来ているのだが、

図４：溶岩台地地形（烏帽子岳より北松方面を見る）
右（東側）は国見山山頂

のである。

残った山頂部が水平に近い姿を保っているのを遠望すると、その成り立ちに得心できる

現在この溶岩台地の上には、世知原から平戸口までを結ぶ広域農道「やまびこロード」というドライブウェイが出来ていて、四方に開けたすばらしい眺めを楽しむことが出来る。

溶岩台地の中にあって、浸食を免れた溶岩部分が孤立する形で残った場合の地形を「溶岩残丘」、スペイン語で机を意味する「メサ」と呼び、冷水岳や石盛岳などがその典型である。メサの側面が垂直に近い形になっているのは、溶岩が冷却する時にその玄武岩の成分が結晶化して六角形の柱状節理を作り、それが垂直に崩落したからなのだ。玄武岩の節理は弓張岳、将冠岳、烏帽子岳など近郊の多くの山々に見られるし、六角柱の石は佐世保市内の公園や神社など至る所で目にすることが出来る。

それではこの溶岩台地はどのようにして作られたのだろうか、大量の流動性の溶岩はどこから湧いて出たのか？ 吉富先生は驚きの回答を用意していた。

図5はそれを説明するためのスケッチである。下の断面図に示されているように、国見山の山頂は北松浦半島を被う溶岩台地の最高所である。これから西にかけての山形が水平に近いなだらかな傾斜をなしているのに対して、東の佐賀県側は断崖状の急斜面となっている。

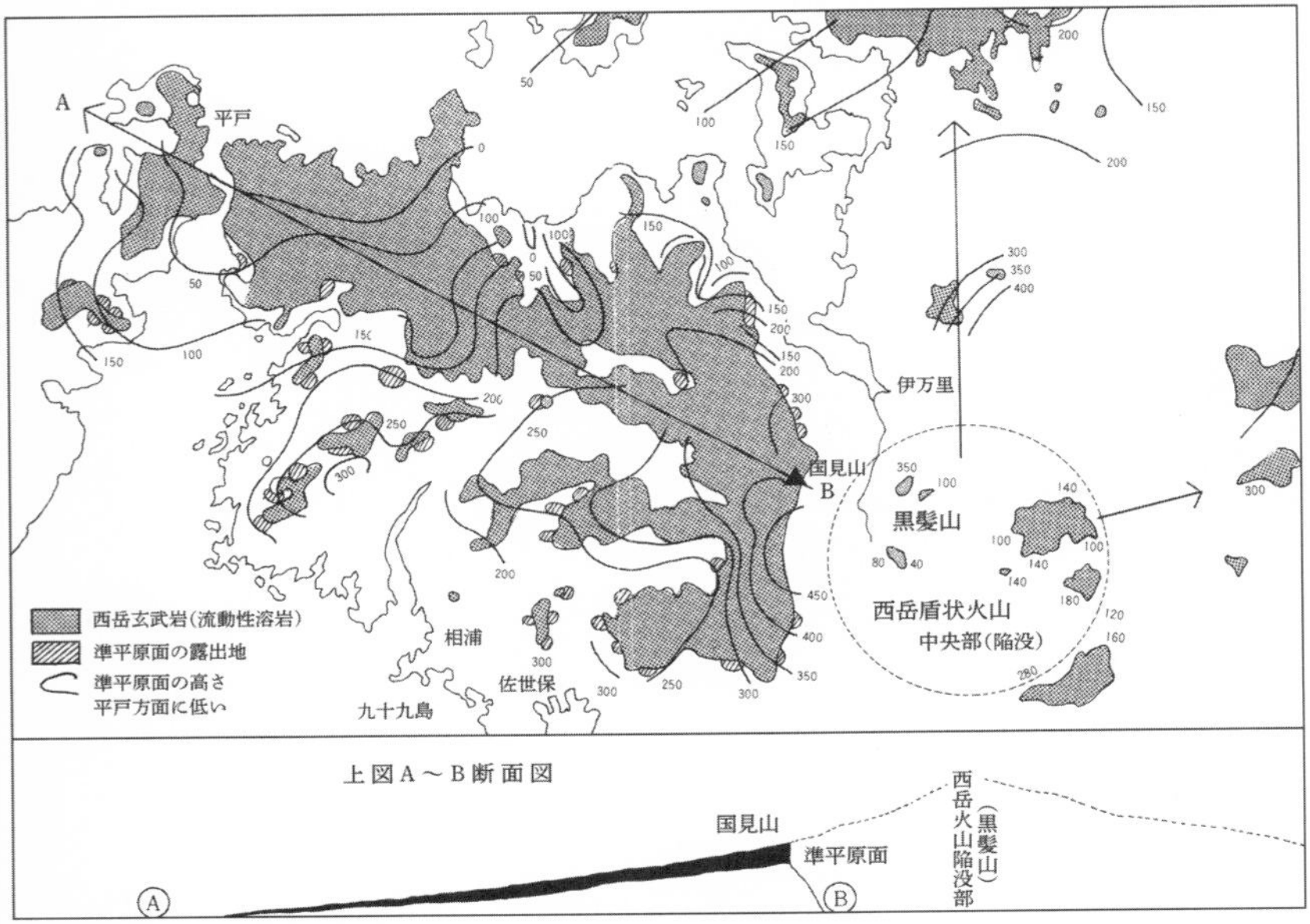

図５：北松浦半島の溶岩台地と陥没した巨大火山（西岳火山）〔B書：p100〕

これはかつて黒髪山辺りに山頂があった巨大なアスピーテ火山（西岳盾状火山と記されている）が陥没したために出来た地形だと想定されているのだ。

この巨大火山から流れ出した溶岩が東から西に向けて北松浦半島を覆い、北側では東松浦半島を覆って溶岩台地を形成した。その後に火山は大陥没を起こし、火口側は断崖地形となる。さらにその後、陥没部の火口から再び溶岩が噴出して黒髪山と、遅れて青《せい》螺《ら》山が出来た、と考えられている。それを裏付けるように陥没部内とみられる黒髪山周囲の山々や武雄の八幡岳では溶岩台地と同じ玄武岩の地質が見いだされていて、火山陥没の残片と想定されるのだ(図6)。阿蘇山の大カルデラのような、整った形で残っているわけではないにしても、この地形成り立ち説の迫力はいかがだろうか。

相浦の愛宕山の地形

相浦の愛宕山、別名飯盛山は標高二五九mと高い山ではないのだが、相浦富士とも呼ばれるくらい均斉の取れた秀麗な山容で、崎戸あたりの海上からも見えるので昔から海上交通の目星とされてきた。登ってみると山頂には火山性の玄武岩がゴロゴロ転がっているので、てっきり火山だと思っている人が多いのだが、吉富先生によると山の下方三分の二は水成の堆積岩で、かつてこの山にあった炭鉱の採掘でも、山の基

図6：新旧三つの火山が重なる有田黒髪山〔B書：p102〕

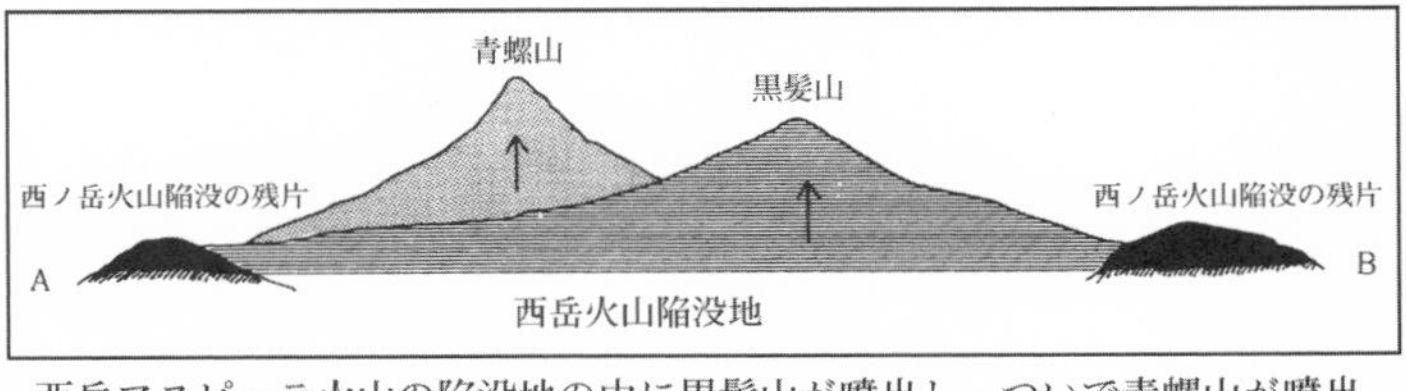

西岳アスピーテ火山の陥没地の中に黒髪山が噴出し、ついで青螺山が噴出している最も新しい青螺山が最も高い。

部からは火山岩は全く出なかったのだそうだ。

山頂にある玄武岩は、将冠岳の山頂と同じく流れてきた溶岩に由来するもので、愛宕山は削られた溶岩を円錐状に頂く「ビュート」と呼ばれる地形なのである。従って北松浦半島の溶岩台地の一端、溶岩残丘のひとつということになる。それにしても、かつて連なっていた愛宕山と将冠岳を分離した最大の要因は、相浦川の浸食であったと知る時、河川の浸食力がいかに大きなものか、今更ながら驚くしかない（図7）。

佐世保湾底の海中河谷

佐世保湾は太古、大村湾の入り口にかけて繋がる細長い盆地であったそうだ。その中を流れる佐世保川や日宇川などの多くの河川が谷を削り、湾口の向後崎辺りでは峡谷をなしていた。そこに数十万年前の洪積世から始まる地殻沈降が起こって盆地に海水が侵入し、針尾島や西彼杵半島の東側に顕著にみられるような多く

図7：山頂に取残された溶岩流（ビュート）— 相浦愛宕山〔B書：p77〕

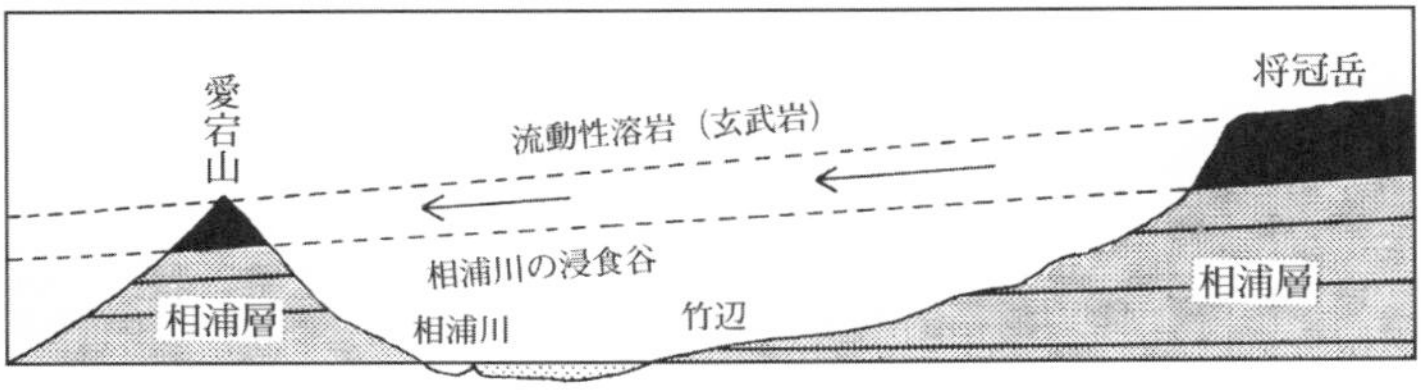

の溺れ谷を形成し、佐世保湾が出来たのである。しかし、それだけでは湾の入口が狭く、奥行きが広くて深い、珍しい地形になっている理由の説明がつきにくい。そこで吉富先生は、湾の入口部より奥の部分の方が沈降が甚だしかったのではないかと推測している。軍港として最適な天然の良港として、佐世保発展の基盤となった地形である。

現在航路になっている湾の深い部分はかつての川の谷筋であって、「海中河谷」と呼ばれている(図8)。元々佐世保から西彼杵半島にかけては、西に傾いた地層に断層が生じたためにできた「ケスタ」とよばれる地形であるために、山の西側が緩斜面、東側が急斜面という特徴を持っている。将冠岳、弓張岳や西彼大島の山形を見ても皆

図８：佐世保湾内の想像河川（海中河谷）〔A書：p78〕

そうである。赤崎、庵の浦辺りの佐世保湾に面した地形も東側が急であるため、太古の河川はその山際に深い谷を作った。現在、大型の軍艦などが皆赤崎、庵の浦の海岸近くを航行しているのは、この谷筋を通っているわけなのだ。特に庵の浦沖の、湾の入り口に向かう曲がり角では海中河川が深い渓谷を作っている。

また、アメリカ海軍の航空母艦や大型タンカーなどが停泊する崎辺の沖の錨泊地は、日宇や針尾方面から流れ出す河川の本流域であったため深くなっているのである。

反対に、川がなく緩い傾斜地だった湾の東側は浅く、前畑から一里島周辺などは浅瀬の多い危険海域になっている。ただし、東浜の目先の海にニョッキリ立っている高島だけは成り立ちが異なっていて、地殻の弱い部分から噴出した流紋岩によってできた「噴出丘」という火山性の島なのだそうだ。

溺れ谷である九十九島内の航路も、かつての谷筋であったという事情は同じで、一〇〇トン級の大きな遊覧船が狭い島々の間を巧みに通り抜けるのを見ながら、かつての山や谷の地形に思いを馳せるのも興味深いものだ。

ついでに九十九島の成り立ちについて触れておくと、九十九島の地層は白色の砂岩が主体で、火山性の岩がなかったことにより河川の浸食が細やかで葉脈状の谷や小山が出来たのだという。その後に起こった地殻沈降に際して、地盤が全体的に水平に沈降したことが、多くの島や入り江が生まれ、美しい景観に恵まれる条件を満たすことになったのだ。

以上一部を紹介したが、続ければきりがないのでこのくらいでやめておきたい。

この二冊には吉富先生の飽くなき探究心が反映されて、多くの興味深い内容が詰め込まれている。地形や地質の話のみならず、戦国時代の城郭と武将達の角逐、平戸往還や長崎街道などの道路・宿場の有様、藩境争い、新田開発の進展、伊能忠敬の測量記録、古地図の紹介、地名の考察などと、歴史・交通・産業・民俗などの多岐にわたる話題が縦横に語り尽くされている。

郷土の成り立ちを多面的に知るための基礎資料、教育材料、そして面白い読み物として稀有の名著というべきであろう。この二冊の本が今では読む人も少なく、忘れられた感があるのはあまりに勿体ないことではなかろうか、復刊を期待するものだ。

平戸
九十九島
相浦
御用 測量方
伊能忠敬
ヨサセボ、
サセボデスヨ
〜ワタシ
ヨシトミ、
デスヨ
肥前六方石

四、奄美の萩原さん

二〇一八年のNHKの大河ドラマ「西郷《せご》どん」はとっくに終わっていて、証文の出し遅れということになるのだが、これはドラマが放映中のころのはなし。

渡辺 謙が演じた島津斉彬が世を去ったあと、西郷吉之助は島津久光の不興を買い、奄美大島に島流しにされる。

西郷どんは奄美にいる間に愛加那さんという女性を現地妻にして、三人の子供をもうけた。第一子が後の西郷菊次郎で、このドラマではナレーター役としての菊次郎を西田敏行が演じていたのはご存知の通りだ。この人は幼くして鹿児島の西郷家にひきとられ、十六歳で西南戦争に参加して片足を切断する重傷を負うも、米国留学ののち台湾の行政官になり、やがて京都市長として大きな足跡を残した。今でも京都では大変人気があるそうだ。

西郷どん本人は島を去った後、色々苦労して大出世をするものの、知られる通りの運命をたどるのだが、その後愛加那さんと再び会うことはなかったらしい。子供たちは皆鹿児島に引き取られてしまい、残された愛加那さんはさぞ寂しい思いをしただろうと同情するのだが、実際の西郷どんは案外行き届かないところのある男だったんじゃないのかな。

こんなことを思いながらテレビを見ていて、そういえば自分にも奄美大島で似たような話に巡り合った経験があるのを思い出した。急いで断っておきますが、私に現地妻があったという話ではありませんよ。

二十年以上も前のことになるだろうか、その頃私はスキューバダイビングに熱中していて、毎年あちこちの海に潜りに出かけていた。中でも、そもそも私をダイビングに導いてくれた栗原さんという潜水の達人が毎年企画してくれるダイビングツアーに参加するのが楽しみだった。

慶良間諸島や南大東島など、あちこちに潜りに行ったのだが、その頃の栗原ツアーは数年続けて奄美大島に出かけることになっていた。奄美空港の近くのアヤマル岬という絶景の場所にあった国民宿舎に五日程滞在して、早朝には集落ごとに開かれる海辺の朝市を覗《のぞ》き、日中は良《よし》さんという漁師さんの船でダイビング三昧。夜は良さんの家で獲れたばかりの魚やコブシメという美味しい烏賊などを食べて黒糖酒を飲む。奥さんが作ってくれる鶏《けい》飯《はん》という名物料理も楽しみだった。

その宵は旧暦のお盆にあたっていて、集落の人たちが浴衣がけで太鼓や鉦《かね》を叩きながら家々を回っては、庭先で手踊りをしてお酒をふるまわれ、ご祝儀を頂いたりするのだった。我々も飛び入りで仲間に入れてもらって、踊っているうちに黒糖酒が回ってくる。地元の人たちと四方山の話をするのが又楽しい。

一緒に回っている中の世話役らしいおじさんが、私がハギハラと呼ばれているのに気付いて、「あんたはハギハラさんね、私も同じ名前なんよ」と話しかけてきた。

「どこのハギハラさんね」

「うちの萩原家の祖父《じい》さんは、私の父親も顔を憶えておらんというくらい若くて死んだ人じゃけど、鹿児島の姶良《あいら》町の帖佐というところの出身で、先祖は郷士じゃったらしいですよ」

「ほお、そんならひょっとしたら、先祖はうちとつながっとるかもしれんね」

「へえ、そりゃまたどういうわけで？」

「実はうちの先祖は鹿児島から流されてきた島津の侍で、島のおなごに子を産ませて帰って行ったんじゃが、名前がハギハラと分かっとるだけで、詳しいことはなんも伝わっとらんのよ」

それで島に残されて忘れ形見となった人以来、代々の子孫はその名前を記憶し、島人も

苗字を名乗ることを許されるようになった明治以降は、萩原を苗字として名乗ってきたのだそうだ。奄美には他にない名前だという。

この話を傍で聞いて、一杯機嫌の仲間の連中が喜ぶまいことか、「お前さんのご先祖ならいかにもやりそうなことじゃないかい」失礼な、と言いかけて、しかし別にわが先祖と決まったわけでもなし、と思い直した。本当は酒の上で盛り上がったりするような話ではないのだろうけど、そのハギハラさんとは握手をしたりして、「まあ、飲もうじゃないですか、」ということになったのだった。

「西郷どん」のドラマでも出てきた話だが、当時の奄美の若い女性たちは薩摩から来た島役人や、島流しになった者の現地妻に所望されることがあって、「あんご」という普通名詞としての呼び名まであった。一旦目をつけられたら断るのは難しかったという。きっとそうだったでしょうね。

奄美諸島は、歴史的に言えばそれまでは琉球王国に属していたものが、十七世紀初頭の薩摩藩の琉球侵攻の後、王国の版図から切り離されて、というよりも強奪されて薩摩の直轄地にされた。その後サトウキビ栽培が始まるに及んで、「黒糖地獄」といわれた過酷な労働を強いられ、薩摩藩による苛斂誅求《かれんちゅうきゅう》が明治維新に至るまで続いたのである。幕末の薩摩藩の殖産興業や、兵器、軍艦の購入などを賄った財力は、その多くが黒糖の専売による莫大な収益によってもたらされたものであり、奄美島民の犠牲に負うところが大きかったのだ。

　のみならず、明治になって鹿児島県に属することになってからも、島の財政は県本土とは分離されるなど、差別的な地方行政が続いた。新たに苗字を名乗るに当たり、遠慮して一字の姓にするように役所から半ば強制されたという話があって、真偽のほどは確かめてはいないが、現に奄美に一字姓が圧倒的に多い理由として信じるべき節がある。

　あげくには太平洋戦争敗戦後の八年間は、沖縄と同様、米軍による占領統治の下におかれて辛酸を嘗めさせられている。スケープゴートにされたのである。

　このような歴史により、奄美の人たちの心には今でもサツマに対する恨みの記憶が残り、鹿児島県人に対する心証はよくないというのは、さもありなんと納得できる話だ。

　そんなことを知った上で、奄美の萩原さん一統の心中を察するに、なんとも切ない思いがするのである。

　以下はつけ足しながら、わが先祖の帖佐の萩原家もそうであった薩摩の郷士という身分について、一寸触れておきたい。

　薩摩藩の郷士というのは、身分こそ士分とはされているものの、城下の士とは厳然とした格差があった。実質的な生業は農業であって、郷中《ごうちゅう》と呼ばれた地方統治組織の役職に就くことはあっても、藩の役人に登用される機会はほとんど閉ざされていた。

かつて薩摩半島から興った島津氏が大隅、日向と抵抗勢力を切り従えていくにつれて、降伏した土着の武士たちの大部分が後に郷士身分になったのである。

戦国の群雄割拠の時代、負けた側の眷属《けんぞく》は帰農して百姓身分となるケースが多かったと聞くが、島津家は彼らを郷士という身分に吸収したために、鹿児島では明治時代になってからも平民に対して士族の占める割合が日本一高かったのだそうだ。

我が萩原家は、かつて大隅半島で覇を称え、決戦に負けて島津の軍門に降った肝属《きもつき》氏の流れだと、本家の爺様が教えてくれた。見せてくれた系図にも途中までは肝属氏と書いてある。遠祖は驚くなかれ大伴家持、その末裔が藤原氏に圧されて平安中期に大隅の国肝属郡の弁済使《べんざいし》という地方役人になり、土着して郡名を名《な》告りにしたものらしい。一時は島津氏を圧倒するほどの勢力を保ち、最後まで争ったので、降伏後は過酷な扱いを受け、郷士になったのだそうな。

余談ながら、西郷や大久保らの兄貴分として将来を嘱望されながら惜しくも若死にした小松帯刀《たてわき》という島津家家老がいた。この人は元々喜入《きいれ》領主の肝属家の出で、島津斉彬の計らいによって小松家に入った人だ。その先祖は庶流の肝属一族で、機を見て早くから島津に従属したので重用された家なのだそうだ。

西郷家は小説やドラマではいかにも貧し気に描かれているが、家格は低くとも市中鍛冶屋町に屋敷を構えるれっきとした城下の士であった。だからこそ最初は郡方《こおりかた》の下役だったとはいえ藩の役人に登用され、やがて島津斉彬に認められて出世を遂げることが出来たのである。

畏れながら、おそらく代々凡庸な郷士であったであろう我が家のご先祖様には、取り立てられて日の当たるような場に立つ機会はなく、従って政争に巻き込まれて島流しの目に遭ったり、それに伴う罪作りなことをした人はなかっただろう、と思われるのです。

五、「吉田兼好」はいなかった

徒然草は繰り返し読んだ愛読書なので、兼好法師は今では私にとって身近な人のような錯覚を時に覚えることすらある。

私が読んでいるテキストは新潮日本古典集成「徒然草」昭和五十二年版で、その解説によると、定説として受け入れられている兼好法師の経歴は次のようなものだ。

—生まれたのは弘安六年、西暦一二八三年前後で、卜部《うらべ》氏という神祇に係わる家の出身。宗家は吉田神社の社務職を世襲している家で、兼好の家系は分家筋にあたり、代々四位または五位を極位とする下級官吏の家柄であった。

在俗時の名は卜部兼好《うらべのかねよし》。青年期には清和源氏流の堀川具守《とももり》家の家司《けいし》であった。（家司というのは公家の家の私的な職員で、身分は殿上人の一つ下の階層とされる）その堀川家の姫君が後宇多天皇の寵愛を得て皇子を生み、堀川具守家で養育された皇子はやがて後二条天皇となった。兼好はその縁故により若くして六位の蔵人《くろうど》となり、任期が満ちる時には五位の左兵衛の佐《すけ》に任官したが、後二条天皇は早世したので宮中との縁も遠のいた。

出家したのは三十歳頃。在俗時の名乗りを音読みにした「けんこう」という法師名となり、比叡山の修学院《しゅがくいん》に籠もったり、横川《よかわ》に隠棲したりして仏道修行をする一方、堀川家の縁で関東に下向し、しばらく鎌倉近辺に住んでいたこともある。

四十歳ごろには京都市中に居を移して、歌人としての本格的な修行を始めた。和歌の師、二条為世の下で研鑽して当時の和歌四天王の一人に数えられるまでになり、三代の勅撰集に入選している。没したのは観応三年（一三五二年）以降で、七十歳台に達していた。——

ざっとこんなところだが、それが平成二十九年（二〇一七年）に小川剛生《たけお》著「兼好法師—徒然草に記されなかった真実—」（中公新書）が刊行されたことによって、今まで周知の事実と思われていたその経歴には大きな修正が必要であることが明らかにされた。一読者にとっても大変な驚きであったその知見を、小川氏の著作に寄りかかりながら辿ってみたい。

新事実の典拠は鎌倉の金沢《かねさわ》文庫から発見された。金沢文庫というのは、鎌倉幕府の執権、北条義時の孫で、金沢流北条氏の始祖である北条実時が学問を好み典籍を収集したことを起源として、代々好学の家であった金沢流北条氏一門が収蔵した多数の漢籍などを収めた文庫である。鎌倉幕府滅亡後も文庫に隣接する称名寺《しょうみょうじ》が維持管理したので後世に伝わり、中世武家文化の精華として知られている。

称名寺はその後も存続はしたものの、おのずからかつての繁栄は失われ、時々の権力者達が持ち出したことなどによって、貴重な蔵書の中には散逸した物も多い。ところが寺の学僧たちが教学研鑽のために書写した聖教《しょうぎょう》と呼ばれる仏典類は、持ち出す者もないまま、長持ちに入れられて放置されてきた。

昭和に入って金沢文庫は神奈川県に移管され、かつての文庫の跡地に近代図書館としてよみがえった。初代文庫長の関 靖がその手付かずで残った九棹の長持ちを初めて開封し、ぎっしりと詰め込まれた聖教の紙背が、鎌倉時代後期の様々な人たちの自筆書状であることを発見したのである。紙背文書と呼ばれるその文書の読解が進み、金沢文庫古文書と呼ばれるようになった。

紙背文書とは、当時は紙が大変な貴重品で入手も容易でなかったことから、役目が終わった手紙などの料紙の裏面を再利用した、その元々の表面の文書のことを指す。この場合は称名寺の学僧たちが金沢流北条氏一門の人々に提供してもらって、裏面を仏典を書写するのに転用した紙の、使い済みの書状類がそれに当たる。

ただでさえ裏の墨蹟が染み出て読みにくいうえに紙魚《しみ》の食害もあり、順不同でもあるその紙背文書を解読するには、大変な根気と並外れた古文書の判読能力が要求されるわけだが、敬服すべき努力の積み重ねの中から、兼好とその家族に関する記事が書かれた書状が同定され、若き日の兼好の消息と、家族の事情などが浮かび上がってきたのである。

解明された新事実を整理して挙げてみよう。

一、兼好の幼名は四郎太郎であった。生年は定説通りおそらく弘安六年(一二八三年)頃。

一、父は伊勢神宮祭主の大中臣《おおなかとみ》氏に仕えた在京の侍品《さむらいぼん》の人（侍品は北面、滝口の武士などの階層）で卜部氏を名告り、僧形《そうぎょう》であった可能性が高い。卜部家は全国に多数あって、どの系統の卜部家かは不明ながら、大中臣氏との近縁関係から推して、神祇官の平野流卜部氏の傍流であったと推測される。

一、金沢流北条氏が伊勢国守護であった縁で一家は鎌倉に赴くことになった。

一、父はおそらく金沢貞顕《さだあき》の被官として関東で活動し、後に称名寺長老となる明忍坊剱《けん》阿《あ》とも親しく交際したが、正安元年（一二九九年）に没し称名寺に葬られた。

一、父の没後、母と兼好（この頃十六歳前後）は京に戻り、姉は鎌倉に留まった。姉は金沢貞顕の側近、倉栖《くらす》兼雄の室であったと思われる。

一、兼好は母の下に養育されたが、嘉元三年（一三〇五年）夏前に姉を頼って鎌倉に赴き、同年母の指示で父の七回忌を施主として称名寺で行った。

一、延慶元年（一三〇八年）鎌倉に下り、剱阿から金沢貞顕あての書状を託されて上洛した。おそらく度々両地を往復していたものと思われる。

一、金沢貞顕は乾元元年（一三〇二年）六波羅探題南方に任じられた。兼好も金沢貞顕の被官であったと思われるが、父の立場を引き継いで他の被官とは違う、やや曖昧な立場であったと推測される。

京にあった兼好はおそらく延慶二年（一三〇九）か三年に出家したと思われる。出家後は一般に遁世者と呼ばれる境遇になるのだが、当時の遁世者は必ずしも世捨て人として山林に閑居して仏道にいそしむというような存在ではなく、身分秩序の埒外に逃れ出て有力寺社や権門にも自由に出入りし、一方では市井にたち交じる、といった、いわば天下御免の境涯を手に入れるということでもあったのである。

六波羅探題南方に続いて翌年には北方に任じられた金沢貞顕にとって、このような立場になった兼好は、京で育ったという経歴もあって何かと使い勝手の良い被官であったことだろう。

以上のごとく、家族と鎌倉の縁、兼好自身と金沢貞顕との関係が明らかになることによって、徒然草に出てくる鎌倉に関する記事の由来がスッキリと理解できるようになった。のみならず、内大臣堀川具守家との関係、および徒然草の中に頻出する仁和《にんな》寺との関係も、従来定説とされてきたものとは全く違った形で明らかになったのである。

足掛け十二年にわたって六波羅探題を務めることになる金沢貞顕に対して、京の権門名家の人々は熱い視線を注いでいた。承久の乱以来の関東嫌悪の気分はすでに癒えて、公武融和の風潮が強くなりつつあった。しかも六波羅探題を司った北条氏の人々は概して清廉であり、学問好きの貞顕は人柄も良かった。

先ず仁和寺から声がかかり、貞顕の庶長子の顕助《けんじょ》が仁和寺の有力な院家《いんげ》である真乗院に八代目院主として迎えられることになった。院家というのは高貴の出身者が住持した寺域内の子院を言い、門跡《もんぜき》に次ぐ格式があった。真乗院院主は代々転法輪三条家出身者が継承していた関係で反対もあったが、鎌倉幕府ゆかりの人材を迎えることの利点が優ったということであろう、顕助が転法輪三条家の猶子《ゆうし》となることで話は収まった。顕助はその後京の密教界で活躍することになり、兼好は顕助に随従する立場で仁和寺に出入《てぼ》りするようになったのである。

このような兼好の立ち位置が、仁和寺との間の微妙な距離感を醸成したと考えれば、徒然草諸段に表れる仁和寺の法師たちの行状への視線が、親しい中にも、時に冷ややかであることにも合点がいく。

一方、兼好が今までの通説では家司を務めたとされてきた堀川家との縁もまた、金沢貞顕および仁和寺真乗院を通じてのものであった。堀川家では、当主具守の娘琮子が年下の後伏見天皇の女御代《にょうごだい》になったものの、後伏見は幼年のまま退位したので、入内《じゅだい》する機会を失って実家にとどまっていた。そこでその娘、琮子の将来のために後見のしっかりした、猶子となる女性を探していたところに、貞顕の娘に白羽の矢が立ったというわけなのだが、実はそれにはしかるべき裏の繋がりがあった。

堀川家では、具守の嫡男具俊が早世したので、残された孫の中納言具親が家嫡《かちゃく》になっていた。ところがその母、つまり具俊の後家にあたる女性が、真乗院の顕助と夫婦同然であったというのである。中納言具親と顕助は親しい友人同士だったから、話はちょっとややこしい。間を取り持つ者たちの努力でこの話は実を結び、その結果兼好は具守の娘琮子の猶子となった貞顕の娘、およびその兄顕助とのつながりによって、堀川家の人々とも隔なく付き合いを深める間柄になったのであった。もちろん家司などという立場ではない。

このように兼好は出家者の立場で、しかも貞顕の被官としての信用と経済力も持ったうえで、京の街で自在に活動して交際を広め、殊に堀川家との縁で宮中の人脈や、有職故実にも見識を深めることが出来たのである。一方では、和歌の師二条為世の下での研鑽にも怠りなく励んで、当時の和歌四天王の一人に数えられるまでに経歴を高めていく。

このように順調と思われた兼好の境遇だったが、元弘三年（一三三三年）、にわかに出来した「元弘の乱」、すなわち後醍醐天皇による討幕の挙兵により、政治状況は一変する。鎌倉に攻め入った新田義貞の軍勢に敗北した北条氏一門は、一族八百人が鎌倉葛西ヶ谷《かさいがやつ》の東勝寺で一斉に自刃し、鎌倉幕府はあっけなく滅亡してしまう。六波羅探題を退任後、鎌倉に戻っていた貞顕もこれに殉じた。顕助ら、京にあった一門の人々は何処へともなく遁走したらしい。

この時兼好五十歳、当然京の都ではこれに伴う六波羅探題の崩壊、後醍醐政権の台頭があり、兼好の身辺にも激変があったことであろうが、徒然草の大部分は既に成立していたと思われ、この事態に関わる記述を見出すことは出来ない。しかしその後の消息が伝えるところから推して、危殆に瀕する程のこともなく、この災厄を乗り切ることができたのであろう。

それにしても、従来定説とされてきた経歴との違いはどうしたことであろうか。「堀川具守家の家司で、若くして六位の蔵人となり、任期が満ちる時に五位の左兵衛の佐に任官した」などという記録は、事実ならば書かれてあるべき公的な文書や、公家の日記類にもないし、兼好の来歴や出身階級からしてあろうはずもないのである。

ここで吉田兼倶《かねとも》（一四三五〜一五一一）という人物が登場する。兼好が没してから七十年ほど後に卜部氏の流れを汲む京都の吉田神社の神職の家に生まれ、唯一宗源神道という神道の体系の創始者となった人物である。

唱えていることは本地垂迹説《ほんじすいじゃく》の反対の、仏は日本の神が仮に現れたものだという趣旨で、神本仏迹説と呼ばれる。百年ほど前に、天台僧の慈遍が唱えたことの焼き直しのような説であったようだが、この兼倶にはカリスマ性があったものか、弁舌巧みに宮中に食い込み、信者をどんどん増やしていった。

更に文書記録を次々に偽作し、過去の有名人が吉田流神道の門人であったと主張し始めた。例えば藤原定家が、吉田神道のおかげで歌道の奥義に開眼したことを感謝して、当時の吉田家当主　兼直に提出したという起請文が突如出現し、兼倶はこれをおおいに宣伝材料に使った。

家系図も改竄した。先に名の出た天台僧　慈遍と兼好は兄弟ということにされ、もともと縁もゆかりもない吉田家の傍流として名を連ねることになる。というのも、没後一時忘れられていた兼好の名前が今川了俊とその弟子正徹《しょうてつ》によって顕彰され、特に「正徹物語」で激賞されて以来、「徒然草」が盛んに読まれるようになっていたのである。卜部氏の家系は全国に数多《あまた》あって、卜部兼好は吉田家とは何のつながりもないのだが、卜部という共通の姓と、にわかに高くなった知名度ゆえに早速利用されたのである。

のみならず、「六位の蔵人で、辞任の時に五位の左兵衛の佐に任官した」という架空の経歴まででっちあげられた。この詐称にはちゃんと訳があって、元々吉田流は神祇職の卜部氏の中でも嫡流ではなく、先祖の事績にもほとんど見るべきものはないのだが、兼倶は家格上昇の為に、嫡子　兼到を出世コースである六位の蔵人に就かせるべく、宮中に運動していた。この際重要なのが先例である。先例なし、として反対する声に対して、偽作したばかりの系図に載っている「六位の蔵人　卜部兼好」の名を示し、首尾よく就任を実現させたばかりか、後には筋書き通り五位の左兵衛の佐にも任官させている。

これを手初めに系図中の人物の官位、経歴の改竄を積み重ね、後土御門天皇や後柏原天皇などに取り入って、自身は従二位にまで昇進を遂げた。又これらの天皇を手玉に取って、伊勢神宮のご神体が吉田神社の境内の斎場に降臨した、と称して社格を伊勢神宮並みに上げさせているのである。

驚くべきことには、吉田家の偽系図は南北朝時代に成立した諸家系図集である「尊卑分脈」に竄入《ざんにゅう》され、更に卜部家遠祖 平麻呂がかつて神祇伯に任じられたと偽るために、あろうことか「日本三大実録」の改竄さえ行っていることが明らかになっている。ちなみに、偽系図作りはこの後吉田家のお家芸になったらしく、子孫は徳川家康を始め大名諸家の系図偽作に手を染めているそうである。

こうした兼倶の歴史捏造には勿論気付いた人もいて、例えば江戸時代前期の伊勢神宮外宮の神官、度会延佳《わたらいのぶよし》は「神敵吉田兼倶謀計記」を書いて弾劾している。国学者の中にも室町、江戸と幕府に庇護された吉田家の専横を批判する者が多かったが、吉田家はそんな声はどこ吹く風、明治維新に到るまで神道界を支配し続けている。

こうして兼好法師は、十六世紀末に吉田家の容喙《ようかい》のもとに著された最初の徒然草注釈書「寿命院抄」の冒頭に「ツレツレ草ハ吉田ノ兼行作ル所也」と記されて以降、全ての伝記や注釈書で吉田家傍流の人とされ、「吉田兼好」と呼ばれるに到るのである。

徒然草は江戸期に入って爆発的な人気を呼び、古典文学の中に位置づけられて、現在に到るまで膨大な数の研究書が書かれている。しかし、作者の出自と来歴については前説の安易な踏襲が続けられた結果、吉田兼倶のペテンを五百年に渡ってなぞり続けることになってしまったわけだ。

はしなくも金沢文庫紙背文書の解明をきっかけに、気鋭の研究者小川剛生氏によって虚妄が指摘され、泉下の兼好法師も、やっと知らぬ名で呼ばれることを免れる日が近いと思われる。「吉田兼好」はいなかった、と言う所以である。今後の古典テキストや教科書の記述がどうなるのか、注目して見てみたい。

六、ジャガイモ考

ジャガイモがアメリカ大陸からもたらされたおかげで、人類が被った恩恵は絶大なものがある。ペストや飢饉、うち続く戦乱などで激減したヨーロッパの人口を、十七世紀半ばからの百年ほどの間にたちまち倍増させ、中世の停滞から産業革命の時代へ踏み出す母床を形成したことは、その最大の貢献として挙げられるだろう。

日本でもすでに江戸時代後期には救荒作物として知られていたし、現代にあってもここ五十年ほどの世界人口の爆発的増加を食の面で支える上で大きく寄与している。

そうであるのに、かつて学校でコロンブスの米大陸発見のことを習った時には、大陸から紹来されたものとしてタバコや梅毒のことは印象があるのに、ジャガイモについてはトンと聞いた覚えがないのは何としたことだろうか。

この事は前から気になっていたのだが、最近図書館で偶然目にした「海が運んだジャガイモの歴史」（田口一夫著）という本を読んだのをきっかけに、日本との縁について調べてみる気になった。

ウィリアム・アダムズのジャガタライモ

まず手始めに身近な話題から見てみよう。二〇二〇年はウィリアム・アダムズ（三浦按針）が平戸で世を去ってから四〇〇年目にあたり、彼のことが何かと話題になった年だった。

彼は初めて日本に来航したイギリス人で、キリスト教の布教とは無縁に、ヨーロッパの知識と文物を伝えた人物として記憶されているが、そのほかに、「琉球から『ジャガタライモ』を初めて日本に、それも平戸にもたらした」という伝承があるのだ。この説の真偽について一寸検証してみたい。

航海士ウィリアム・アダムズが、難破寸前のオランダ船リーフデ号で豊後の臼杵にたどり着いたのは西暦一六〇〇年、天下分け目の関ケ原の戦いの半年前であった。初めて大阪城で目通りを得た時から徳川家康に気に入られて、旗本の身分に取り立てられ、領地や屋敷を与えられるという異例の厚遇をうけることになった。

やがて一六〇九年、設立されたばかりのオランダ東インド会社の船がバタビヤから来航し、平戸に商館を開くにあたって、アダムズはその相談役になる。遅れて一六一三年には、母国英国の東インド会社が同じく平戸に商館を置くことになったので、報酬や待遇は下げられたにもかかわらず、母国に義理立てしてオランダから乗りかえるかたちで、顧問格の商館員を引き受けることになった。

ところがイギリス商館は商売が下手で、オランダ側に出し抜かれるばかりでさっぱりうだつが上がらないのだった。業を煮やしたアダムズは、船を仕立てて自ら船長として南海貿易に乗り出すことにした。その手始めとして、一六一四年にシー・アドベンチャー号と名付けたジャンク船でシャムに向けて出航したのだが、この時は嵐に遭って琉球に避難し、修理に手間取るうちに季節風の時期を失って、止む無く引き返した。この時ささやかな琉球土産として potato 一袋を持ち帰り、平戸の商館長コックスに贈ったのである。

一六一五年六月二日付のコックスの日記には「日本では植えられていなかった pottatos を琉球から買って菜園に植えた。この土地の借料として年額十匁すなわち英貨五シリングを払った」とあり、同人の三年後の日記には「五〇〇個の potata の小さい root を庭に植えた。これはイートンが琉球から送ってくれたものだ」、「日本人は普通の potata を“jagatara-imo”（ジャガタライモ）と呼んでいる」と記載されている。（以上は「イギリス商館長日記」による。ポテトの綴りが統一されていないのは、当時の英語は正書法が確立されておらず、発音をもとに適当に綴っていたためであるらしい。）

これらの記録からはアダムズのもたらした芋はジャガイモだったようにも思われるのだが、専門家達による検討の結果、現在ではサツマイモだったと結論されている。その理由は、①当時、英国人はジャガイモもサツマイモも共に potato と呼び、区別がなかった、②琉球のような熱い土地で、当時のジャガイモを栽培するのは困難であったし、栽培された記録もない、③当時の日本人が言う「ジャガタラ」はジャワ島を含む南東アジア地域全体を指すことが多く、ジャガタライモは「南方からもたらされた芋」という意味での呼称だったと考えられる、などが挙げられている。その結果、コックスが借りていた平戸市千里ヶ浜の菜園は今では「コックスさんの甘藷畑」と呼ばれているのである。

ジャガイモは何時日本にわたってきたのか?

それならばサツマイモならぬジャガイモは一体いつ頃に日本にもたらされたのか詮索したくなる。

従来言われてきた説をあげてみると、例えば伊藤章治「ジャガイモの世界史」(中公新書p一五二)には、「一六〇〇年頃オランダ船によってジャワ(現在のインドネシア)のジャカルタから長崎港に輸入された爪哇《ジャワ》芋が日本にジャガイモが登場した最初で、ジャカルタの古名がジャカトラだったため、ジャカトライモ(ジャガトライモ)と呼ばれ、そこから転じてジャガイモの名がついた、と言うのが定説である。」というようなことがあたかも既定の事実のごとく記述されている。多くのジャガイモの歴史を書いた本にも同様の内容が出ていることが多い。

しかしこの話はおかしい。先にウィリアム・アダムズの事歴で紹介したように、オランダ船が日本に来港したのはリーフデ号漂着を除けば一六〇九年の平戸入港が最初であり、ポルトガル人が追放された後の長崎の出島にオランダ商館が移転させられたのは一六四一年である。この頃はヨーロッパにもジャガイモはもたらされたばかりで、それも最初は食用ではなく、花を観賞する為であった。

食用として有用であることが認識されてからも、喜望峰回りで長期間航海する帆船で、ジャガイモを運搬することは困難であった。ジャガイモが活性を保てるのは条件が良くてもせいぜい四ヵ月が限度なのだ。ジャワ島にはじめてジャガイモがもたらされるのは一七六〇年のこと、従って「一六〇〇年頃オランダ船がジャカルタから長崎に伝えた」というのは荒唐無稽の訛伝と言わざるを得ない。

日本のジャガイモが最初に文献に現れるのは、一七七五年から翌年まで出島のオランダ商館に医官として勤務したカール・ペーター・ツュンベリーが、帰国後上梓した手記（邦訳は山田珠樹「ツンベルグ日本紀行」、駿南社）の中の記述とされている。そこには彼が植物採集中、長崎で見つけたジャガイモについて次のように記されている。

「郊外の畑で非常に小さいジャガイモを見つけた」

「長崎近傍の畑でジャガイモの栽培を試みたがまだ成功していない」

ツュンベリーはスウェーデン人の医師で、植物研究を目的にはるばる日本に赴任したのであり、後に当時の植物学の世界的権威、リンネの後継者となったほどの人物であるので、ジャガイモについての記述に誤りがあるはずはない。

この記述から類推されることは、

① それまでツュンベリーは日本にジャガイモがあることを知らなかったし、出島のオランダ商館でも栽培していなかった。

② そのイモはツュンベリーが知るヨーロッパの（品種改良された）ジャガイモとは違う、大変小粒の品種だった。

ここに書かれている「ジャガイモの栽培がまだ成功していない」というのはどういうことなのだろうか。ジャワ島にもたらされたばかりのジャガイモの種イモを長崎に運んだが、うまく育たない、ということなのか。日本で見つけた小さなジャガイモなら栽培するのは容易であったはずだが、滞在期間が短いために収穫するにはいたっていないのか、何とも判断しかねるところだが、多分前者の解釈の方に分がありそうだ。とすればこの時点で、やがて栽培に成功するのは時間の問題であったのだろう。ともあれ、この小粒のジャガイモは出島での食用には採用されなかったようで、オランダ商館の食卓にジャガイモが現れるまでにはしばらく待たなければならない。

その中でも最も早い記録として注目されるのは、一七七八年に出島商館長として赴任する途中に死去したデュルコープの持ち込み荷物リストの中に、多くの食材の一つとしてジャガイモが含まれていることだ。ジャワ島に種イモがもたらされて十五年目にあたり、まだ個人用の贅沢品扱いであったろうから、出島商館にジャガイモが現れる走り、といったところであろうか。

それにしてもこのリストにある食材の品揃えは豪華で、実はこの頃オランダ東インド会社は経営が傾いていて一七九九年には解散するに到るのだが、幹部にはまだ贅沢が許されるほどの余裕があったとみえる。本題とは離れるが、興味深いので煩をいとわず彼の荷物リストを書き写してみると、ハム、チーズ、バター、ビスケット、ジャガイモ、日本米、カリフラワー、ザワークラウト、マッシュルーム、玉葱、干し野菜、豆類、オリーブ、ピクルス、サーモン・牛腿肉・タン・燕の巣の燻製、塩漬けレモン、果物の砂糖漬け、オランダのチョコレート、ジュース、シロップ、ドロップ、コーヒー豆、紅茶、ビール、ワイン、リキュール、ジン、など。死者の荷物だから記録が残されたのだろうが、おかげで我々は彼らの食生活の一端を覗くことが出来るわけだ。ジャワにも米は豊富だったろうに、「日本米」と記されているのは、粘り気のある日本品種の米が好まれたということだろうか。

日本側の記録としては、文化五年（一八〇八年）に英国のフリゲート艦がオランダ船拿捕を目的に長崎港に侵入した「フェートン号事件」の際のものがある。人質を取られ、強要されてやむなく奉行所が供給した食料の中に、ジャガイモ二〇〇斤（一二〇キログラム）が含まれていた。ツュンベリーの滞在から三十年しか経っていないが、この頃には長崎で相当の量のジャガイモが栽培されていたのだろう。

一方、江戸期は本草学（植物学）が盛んだった時代で、外来の新種植物として、また救荒作物としてジャガイモへの関心も高かった。当時の多くの本草学者や農学者が記したジャガイモの呼称については、月川雅夫著の「長崎ジャガイモ発達史」に詳しく紹介されている。その中で最も早いのは寛政十年（一七九八年）の「最上徳内文書」に現れる「ごしょいも」で、以下かいつまんであげると、文化元年（一八〇四）曽占春の「ハッシュ芋」、文化五年（一八〇八）小野蘭山の「馬鈴薯」、天保二年（一八三一）大槻玄沢の「ジャガタライモ」、天保七年（一八三六）高野長英の「馬鈴薯」など。

この中で注目に値するのは、大槻玄沢が晩年の著作「蘭苑摘芳」の中に若かりし日の思い出として書いている記事である。そこには天明五年（一七八五年）、宿願かなって長崎に遊学した折に、「魚と共に煮たアールドアップル（ジャガイモの蘭名）を食べた」という体験が書かれている。この時のジャガイモが、ツュンベリーが長崎の郊外の畑で見た「非常に小さいジャガイモ」と同じものであったのか、又はその後もたらされたオランダ由来のものなのかは判らない。

これら江戸時代の本草学者の記載について、イモの出どころを詮索するのは面倒だし、本邦初出という意味では得るところが少ないので、ここでは田口一夫氏のジャガイモ伝来についての見解を紹介することにする。

「最初のジャガイモの本邦渡来の時期とルートは、今のところ特定するには至っていない。しかし、ツュンベリーが一七七四年に長崎で見たという小粒のジャガイモの渡来ルートとして一番可能性が高く、説得力があるのは、スペイン人によってメキシコから太平洋を越えてルソン島へ、さらにそこから長崎に至るルートである。」というのが田口氏の結論だ。

マニラ・ガレオン船航路

スペイン人によって開かれたメキシコとルソン島を結ぶ太平洋航路の事は、オランダ人の出島航路と違ってあまり知られていないので、紹介しておこう。

スペイン植民地ヌエバ・エスパニア（現在のメキシコ）は、アステカ帝国を征服したスペインによって一五二一年に成立している。

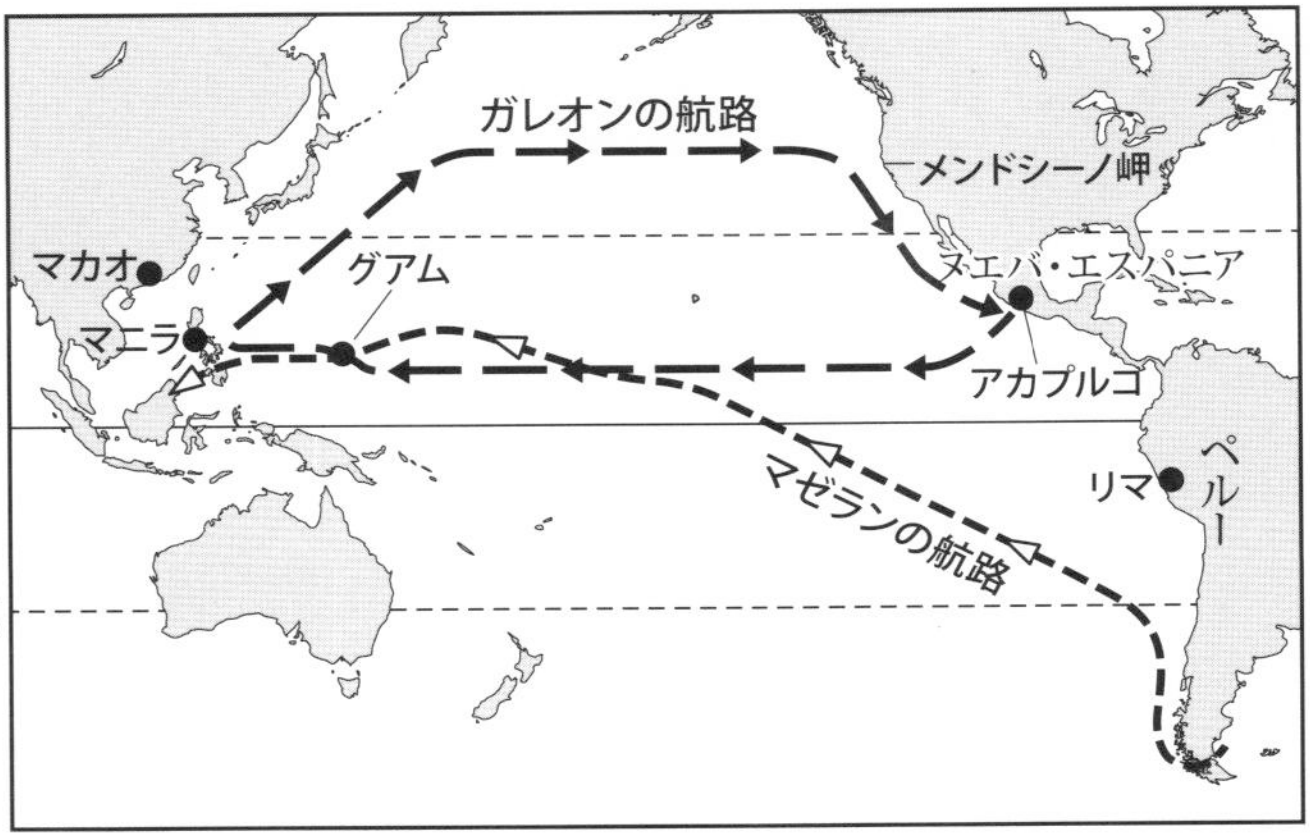

太平洋を渡るスペイン船の航路（マゼランとガレオン）

マゼランが世界で初めて西回りで太平洋を横断して、フィリピン諸島のセブ島に達したのは一五二一年の事。しばらく間を置いて一五六五年にレガスピの指揮するスペイン艦隊が、ヌエバ・エスパニアのアカプルコから北東貿易風と北赤道海流に乗ってセブ島に来航し、ルソン島を領有するに至った。

その帰りの航路は、まだ交易品の用意も整っていない、来たばかりの一五六五年に早くも航海士ウルダネータにより開かれる。彼はまず黒潮に乗って日本列島の沖を北緯三八度まで北上し、そこからは偏西風を捉えて東航して北アメリカ大陸西岸のメンドシーノ岬に至った。後は南下する海流に乗ればアカプルコに達するのは容易だった。

こうしてメキシコのアカプルコとルソン島

のマニラを結ぶ、「マニラ・ガレオン船航路」と呼ばれる定期航路が開かれ、一八一五年まで実に二五〇年にわたって続くことになる。

ガレオン船というのは当時最大級の外航船で、数百トンから二千トンに達するものもあった。この太平洋航路を独占したスペイン人は、敵対するオランダやイギリスの船に襲われることなく、メキシコ産の銀と清国や東南アジア各地の産物を交易することが出来たのだ。

マニラから積み込む中国産の絹や陶磁器、香辛料などの交易品の集積は、マカオに根拠地を持つポルトガル人と、台湾、福州など中国各地から来る支那商人達によって支えられていた。メキシコに着いたこれらの産物は陸路カリブ海沿岸まで運ばれ、大西洋を横断して、スペイン本国やヨーロッパ各地に届けられ、スペインに莫大な富をもたらしたのである。

余談ながら、スペインとの直接通商を狙って伊達政宗が派遣した、支倉常長の慶長遣欧使節（一六一三〜二〇年）もこの航路を使って往復している。

再びジャガイモ伝来について

さて、ここでまたジャガイモの話に戻るが、ガレオン船のアカプルコからマニラまでの所要日数は七十〜九十日、時に六十日で渡洋したという記録が残っている。緯度も赤道より大分北にあたるので、当時メキシコで常食されていたジャガイモを、活性を保った状態で運ぶのは難しいことではなかったはずだ。マニラまで来れば、ルソン島やマカオの高地で栽培するのは容易だろう。

この時代、中国船は勿論、一六三九年に追放されるまではポルトガル船も頻繁に日本に来航していたのだから、スペイン人によってメキシコから伝来したジャガイモが彼らの船に食料として積みこまれ、長崎の畑に植えられた可能性は大いに考えられるわけだ。記録に残っていないのは交易品ではなかったからだ、と考えれば無理のない話だ。

しかも一七、八世紀の東南アジアでジャガイモを食べたヨーロッパ人の記録には、「イモのサイズが小さくて味が悪い」との感想が残されており、後にペリーの艦隊が浦賀に来る途中に香港で買ったジャガイモも「小粒だ」と記されているそうなので、ツュンベリーが長崎郊外で見た小粒のジャガイモが、これらと同じ系統であったとすれば大いにつじつまが合うのである。

この小粒のジャガイモは、おそらく本邦初渡来の栄誉を担うべき品種だと推定されるのだが、いつの頃にか作られなくなって、忘れられたのだと思われる。一八一七年に着任した出島商館長ブロンホフの日記には、「長崎の桜馬場に畑を借りてジャガイモを栽培してもらい、商館から収穫に出向いた」とあり、その頃にはヨーロッパで品種改良された、大きくて味の良いイモが長崎の住民にも伝わっていたに違いない。

このような次第で、「一六〇〇年頃オランダ人によってジャワ島から伝えられたのが最初」ではなかったにしても、少なくとも今日我々が食べているものに繋がるジャガイモは、出島経由で伝来したと考えて間違いなさそうだ。

今日、ジャガイモ生産高全国二位を誇る長崎県で品種改良され、歴史にちなんで「デジマ」と名付けられたおいしいジャガイモが人気を集めていることは、まことに御同慶に堪えないところで、かつてこの地にジャガイモをもたらした異国人達には「以て瞑すべし」の一言を捧げたい気分だ。

文献
1　月川雅夫、「長崎ジャガイモ発達史」、長崎県馬鈴薯協会、一九九〇
2　田口一夫、「海が運んだジャガイモの歴史」、梓書院、二〇一六
3　宮田絵津子、「マニラ・ガレオン航路」慶応大学出版会、二〇一七
4　安高啓明、「長崎出島事典」柊風舎、二〇一九

七、森　優先生の「ジャワ島ところどころ」を読む

森 優先生は九州大学医学部解剖学第一講座を昭和四十一年まで担当した解剖学教授である。昭和四十六年に私が解剖学実習を学んだ時の担当教授は解剖学第二講座の永井昌文先生で、森先生はすでに退官しておられたが、名誉教授室に時々出てきておられたようで、あの歴史の染み込んだ、木造平屋建ての解剖学教室の廊下で何度かお見かけしたことがある。

ある時、刷り上がったばかりの自費出版のご著作を、学生が集まっている解剖学教室の講堂に自ら運んできて配ってくださったことがあった。「血液循環の発見」と題された、W・ハーベイの医学史に残る偉業についての研究書であり、その時講堂に居合わせた学生は思わぬ恩恵に与ったのであった。怠け学生だった私は、その本を貰い損ねて、後日級友の寺坂禮治君に借りて読んだのだった。

森 優先生は当時の日本で最も権威ある教科書「分担解剖学」の著者の一人であるが、解剖学専門書の他にも随筆や医学にかかわる歴史書などいくつかの著作がある。ただし、医学書以外のそれらの本は皆自費出版で、商業出版物とはかけ離れたささやかな装丁の本ばかりだ。

「ジャワ島ところどころ」というB6判一五六ページの小ぶりの本もその一つで、昭和四十一年発行。奥付には非売品と印刷されているし、序には「私の墓標の一行でもあれか

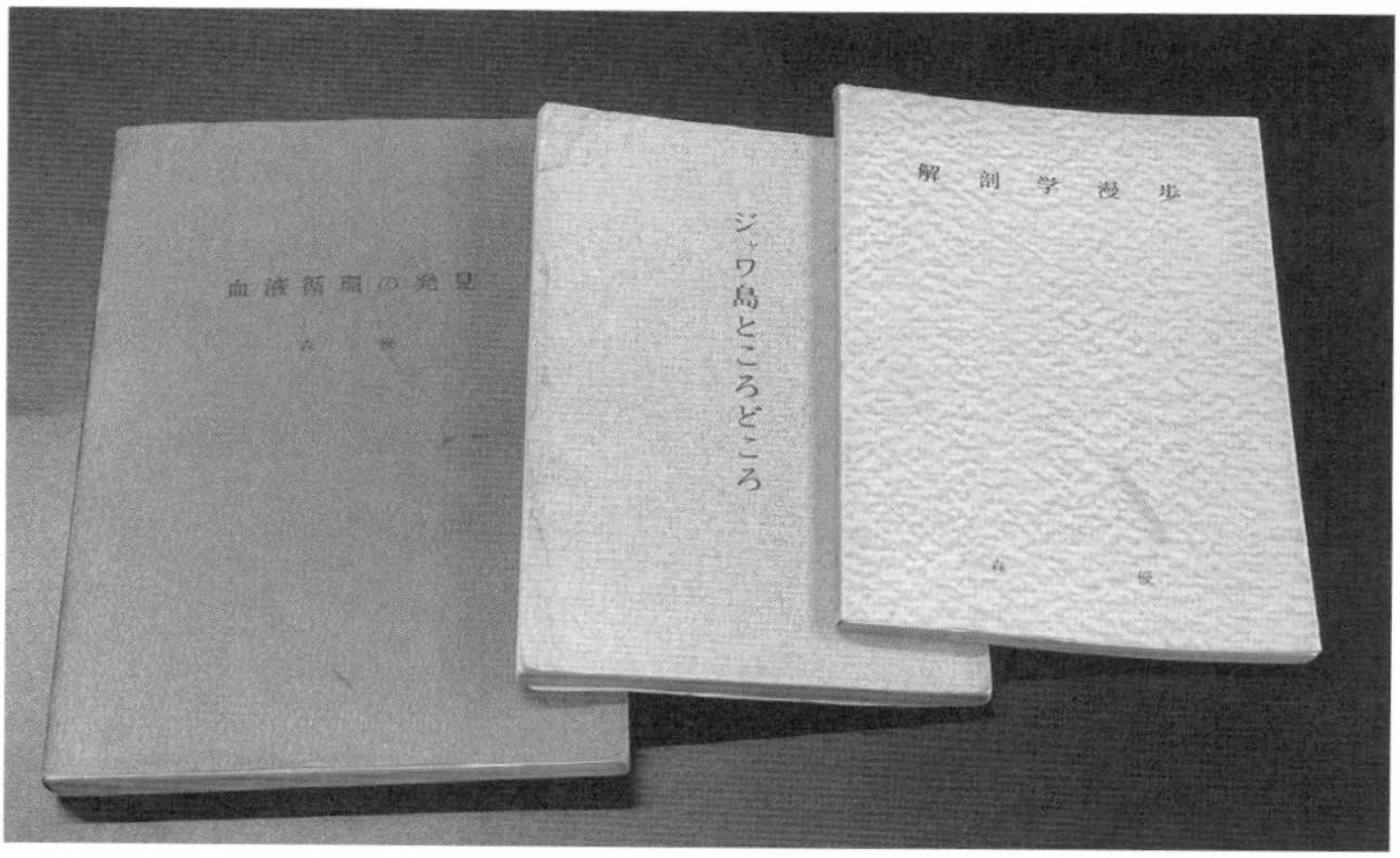

森 優先生の自費出版本。
「血液循環の発見」1971年、「ジャワ島ところどころ」1966年、「解剖学漫歩」1964年。

しと考えて敢えて上梓しました」と書いておられるので、退官を機会に身近な人たちに配られた少部数のものだったのだろう。

どうしてこの本が私の手元にあるのか、先日、本箱の片隅からおそらく四十年ぶりくらいに本が出てきた時に考えてみたのだが、どうもよく思い出せなかった。私は学生のころ旧医学図書館の建物の中にあった「九大医報」という学内雑誌の編集部に出入りしていたので、そこにあったのを持ち出したままになっていたのかもしれない。まあそのことは置くとして、今読み返してみても面白く、先生のお人柄が偲ばれるし、何しろ太平洋戦争のただ中にジャカルタ医科大学に教授として赴任しておられた時の話なのだから、貴重な歴史の証言だと言えるだろう。それに加えて、当時のインドネシアの民情や風俗も情味あふれる観察眼で描かれていて、まことに興味深い内容なのである。

旧七帝大とは今でも時々使われる言葉だが、敗戦以前には台湾の台北と朝鮮の京城（ソウル）にも帝国大学があって、九帝大と呼ばれていたらしい。その全てにはもちろん医学部があった。満州国は傀儡政権《かいらいせいけん》ながら一応独立国ということになっていたから、日本の帝国大学ではないが、満州医科大学というのがあったし、その他にも当時の日本の支配の及ぶ各地に医大や医専を始め様々な学校が設立され、日本国内から教育スタッフが多く派遣された。英気ある若い人材にとって絶好の活躍の場であったので、後に九大医学部教授になった人達の中にもこうした在外の医学部の教授経験者は多かったようである。その中の一つがジャカルタ医科大学であったのだ。

インドネシアは十七世紀以来オランダの植民地（蘭印とよばれていた）であったものを、一九四二年二月に日本軍が侵攻し（スマトラ島のパレンバン近くの油田に落下傘奇襲攻撃をおこなった事は有名）、以来一九四五年八月十五日まで日本軍による軍政が敷かれた。日本軍政下の旧蘭印では、オランダの消極政策を改めて教育に力を入れた。オランダが設立していたバタビア医科大学を、現地人の意向に沿ってジャカルタ医科大学という校名に改称して（バタビアはオランダ東インド会社の命名）、日本主導の運営を開始した。医科大学の学長には、九州帝国大学医学部の板垣政参　生理学教授が任命された（板垣教授は関東軍参謀長、陸軍大臣などを務めた板垣征四郎将軍の兄）。そのころ解剖学の進藤篤一教授の下で助教授を勤めていた森先生は、周りや奥さんから勧められてジャワに行く気になったのであった。

森先生は文部省教官から「陸軍省へ転出」という辞令を受け、「陸軍軍政地教授ジャカルタ医科大学付」という身分になって、陸軍佐官の軍服一式と軍靴、赤い房の付いた軍刀を支給され、以後外出の際はこのいでたちで通すことになる。電車に乗れば周りからまぶしい目で見られるし、当時新しい革靴や服を手に入れることなど望むべくもない状況だったので、出発の挨拶に伺った教授室では進藤教授から羨望の目で眺められたそうだ。派手な振る舞いなどとは縁遠い先生のことだから、さぞ面映ゆかったことだろう。

昭和十八年九月、家族の見送りを受けて雁ノ巣飛行場から出発。生まれて初めての飛行機は十四人乗りの軍用機で、先生は酔いに苦しみながらも三日後に無事にジャカルタに到着した。初日は台北経由マニラ泊、二日目はミンダナオ島ダバオ経由セレベス島マカッサル泊。三日目にジャワ島のスラバヤ経由でジャカルタ着という行程だった。郊外の飛行場に出迎えはなく、皆目不案内のところを、親切な人に助けられてベチャという三輪自転

森先生による「ベチャ」の挿絵

車に乗せられ、市内の珍しい風景に見入っているうちに医科大学の玄関に着いた。そこから先は板垣学長の立派な自動車でホテルに案内される。

昭和十八年九月といえば、森先生も含め一般の国民はそのことを知らなかったが、前年六月に連合艦隊がミッドウェー海戦で壊滅的敗北を喫し、戦争はすでに敗勢に傾いた時期である。日本内地では物資が欠乏し、食糧事情は悲惨な状態になりつつあったが、ジャカルタでは食べものは豊かで、物資も豊富だった。日本を発つときには旅行鞄さえなく、ボール紙で作った箱を抱えてきたのだが、早速革の鞄と洋服を安価で誂《あつら》えることが出来た。ホテルのレストランで供される食事は何を食べてもおいしく、毎日濃厚な牛乳と新鮮な果物を堪能した。

当初はホテル住まいで、大学へは市内電車で通ったが、後には三人の教官の共有とはいえ、コックやメイドのいる立派な邸宅と、運転手付きの自動車を自由に使える身分になった。

解剖学教室はどの部屋もよく整理されていて、研究材料はそろっていた。教授は森先生一人だけ。助教授はスキルナ、サトリオの若い二人、助手が三人、その他にタイピスト一人、小使い三人、標本を作る技術者一人、いずれもインドネシア人である。オランダ人の前教授はおそらく収容所に入れられていたのだろう。

インドネシア人の学生たちは素直で、よく勉強したそうだ。女子学生も一学年に十人近くいる。皆自転車で通ってくるのだが、朝からスコールが降る日は休校になる、といった風で、どこかのんびりした雰囲気だ。先生は脈管学を講義し、もちろん解剖実習には毎回立ち会って指導した。

女子学生

そのうちに研究テーマも次々に浮かんで、先ずインドネシア人の筋系統の計測を思い立ち、学生がいない間の解剖学実習室にこもって、筋肉を一つ一つ外して重さと長さを計測した。研究に没頭していると時と場所を忘れ、九州大学の解剖学教室にいる錯覚にさえ陥って至福の時を味わった、と書いてある。次にはインドネシア人の骨格調査を行い、次はダイヤ人の骨、パプア人の骨、それが済むと猿の頭蓋骨調査、と、やりたいことは尽きなかった。

日曜日には近郊の村に巡回診療に出かけた。個人的な発案だったようで、陸軍通信隊の協力を得て自動車と衛生兵を出してもらい、医学部の五年生を数人伴うこともあった。白癬、熱帯性潰瘍、フランペシアなどの皮膚疾患が多かったが、マーキュロクロームやアクリノールを塗布するとよく効いたそうだ。珍しそうに集まってくる子供たちの口に、仁丹の二粒三粒を入れてやると大喜びした。

市内の市場や博物館、インドネシア人の教授の家など、何にでも興味をもって出かけて、現地の人たちと親しく交流している様子が随所に生き生きと描かれている。森先生は絵心も豊かで、素人離れのした練達のスケッチが挿絵として随所に添えてある。

言葉にも慣れてきて、インドネシア語と日本語の似ているところを採取して語源談義を開陳したり、かと思えば「因幡の白兎」や「海彦山彦」とそっくりの民間伝承に取材して、会話体の物語として収録してあるくだりなどは、まるで童話集の趣で、豊かな文学性が感じられる。

暇を見つけては列車に乗って古都ジョクジャカルタのスルタンの城の見学に出かけたり、ボロブドールの仏教遺跡や、プンランバナンのヒンドゥー寺院の遺跡を訪れたりもしている。さらにデイェン高原の石造遺跡や、バリ島のドウド寺廟も探査し、遺跡の様子や

ボロブドールの仏教遺跡

王朝の伝説に至るまで詳しく紹介している。

ジャワ島といえばジャワ原人。ピテカントロプスの骨が採取された、当時の人類学で最もホットな話題となっていた場所であり、森先生がこれを見逃すわけはない。まずバンドンの地質博物館で、一九三七年にクーニングスワルトによって発見されたばかりのピテカントロプスの頭蓋骨を、オランダ人の研究者に頼んで金庫から出してもらって、じっくり眺めて感激を味わった。

その後サトリオ助教授を伴い、一八九〇年代にオランダのオイゲン・ヅボアによって原人の骨が採取されたソロ川（ブンガワン・ソロ）流域のトリニール村を自動車で訪れている。川床の発掘跡地に行くためにズボンをまくって川に入り、たっぷり時間をかけてあたりの様子を確かめ、化石を採取した。

ソロ市で一泊し、翌朝は北方十キロのところにあるサンギランを訪れた。クーニングスワルトが、直立猿人の頭蓋骨を発見した所である。ここでも現地の人に教えられた小道を歩いて、発掘現場の地形を観察している。さらに、直立猿人より時代が下る、ネアンデルタール人と同じ型のソロ人の人骨が発見されたニャンドンの部落も訪れた。まさに若さと情熱に任せた寸暇を惜しむ精励ぶり、機会にさえ恵まれれば、先生自身が発掘調査に携わりたかったのであろう、それができない無念さが行間ににじみ出ている。

精力的に活動した二年間は瞬く間に過ぎて、やがて一九四五年八月十五日を迎えることになる。この後の森先生の消息が気になるところだが、本の序には「敗戦のあとには十ヵ月間、ジャカルタ市から汽車で二時間ほどの処にあるチロハニー村に開設された日本の陸軍病院に勤務しました」とある。その後、無事内地に引き揚げられたのであろう。

森先生の青春記、爽やかな読後感が残る好著であり、このまま読む人もなく忘れられるのはあまりにも惜しいと感じた。

八、〔附録その二〕　反捕鯨の構造

――西欧社会における鯨のイメージの変遷――

はじめに

鯨は人間との関係の歴史の中で次々と姿を変えてきた。

ギリシャ時代以来記録に残っている中でも、とりわけ一九七〇年代以降に欧米社会で起こった鯨のイメージ変化は特筆に値する。今や多くの欧米人にとっての鯨は、高い知性を持ち、人間と同様の権利を有する聖なる存在となっているようで、鯨やイルカを殺すことなど絶対に許されない行為だ、と思う人が増えているらしい。

しかしつい六十年ほど前までは、鯨油は彼らにとっても産業や日常生活上の必需品であり、ヨーロッパ各国によって南極海遠洋捕鯨が盛んに行なわれていたのである。

筆者はひょんなことがきっかけになって、二〇一八年から翌年にかけて捕鯨母船「日新丸」の船医を務める経験をした。翌年日本は国際捕鯨条約から脱退したので、三十年にわたって続けられてきた南極海調査捕鯨の最後の航海に巡り会ったわけだ。

子供のころから鯨料理に慣れ親しんだこともあって、捕鯨規制を率先して守っている日本が、世界の反捕鯨国から袋叩きのような批難を浴びていることが以前から不思議でならなかった。ハーマン・メルヴィルの小説「白鯨」を持ち出すまでもなく、帆船捕鯨の時代には世界一の捕鯨国だったアメリカや、世界に先んじて南極海捕鯨を開発したイギリスが目の色変えて日本を批難するのはお門違いではなかろうか。身勝手な価値観をもとに他国の食文化に干渉して良かろう筈はないのだ。

捕鯨船に乗ったのも何かの縁、以前から気にかかっていた反捕鯨派の言い分を検証してみたい。先ずは鯨と人類の関わりの歴史をたどってみることにしよう。

かつて鯨は謎に満ちた怪獣だった

遠くギリシャ、ローマ時代から中世にかけて、鯨は旧約聖書に現れる大魚「リヴァイアサン」に比定されるような「神が遣わした驚異の生き物」と思われていた。海岸に座礁した姿を見たことのある少数の海浜の住人以外の、大多数の人々にとっては鯨は絵画や口承によってのみ存在を知る「恐ろしげで謎に満ちた海の怪獣」であったことだろう。

鯨が貴重な資源だった帆船捕鯨時代

世界で最初に集団的な捕鯨に乗り出したのは、スペイン北部、ビスケー湾沿岸に今も住むバスク人達だった。おそらく七世紀ごろに沿岸に近づいてきたセミ鯨を捕り始め、やがて船を大型化させて十三世紀には大西洋にまで乗り出す。彼らは肉は食用とし、鯨油と鯨ヒゲで交易を行っていた。

バスク人が先鞭をつけた遠洋捕鯨はオランダ、英国、ノルウェイ、さらにはアメリカに伝わり、鯨は無くてはならぬ貴重な資源となっていく。鯨油は照明用の油、潤滑油、蝋燭や石鹸の原料などとして、また、ヒゲ鯨類のヒゲは婦人用のコルセットなどの材料としていずれも需要が多く、高値で売れたので北極海から大西洋にかけてのセミ鯨とマッコウ鯨は百年足らずのうちに捕り尽され、漁場は太平洋へと広がった。アメリカでは大型帆船の船腹が鯨油の樽で一杯になるまで二〜三年にわたって航海するのが普通だった。一八三〇年ごろには北西太平洋で好漁場が発見されたので三〇〇隻に上る捕鯨船が日本近海を遊弋するようになる。

ところが一八五九年にペンシルベニアで初めて油田が発掘されて石油が供給されるようになり、同じ頃にカリルフォルニアで金鉱が発見されると、捕鯨に向けられた資本と労働力は雪崩を打つように方向を転じ、帆船式捕鯨は急速に終息に向かった。

南極海は捕り放題の鯨の宝庫だった

アメリカの鯨捕り達に代わる近代捕鯨は、二十世紀初頭にノルウェイとイギリスによって南極海漁場が開拓されたことにより幕が開けられた。キャッチャーボートに装備された新式の捕鯨砲と、母船の船尾の滑り台から鯨を引き込むスリップウェイという装置が開発されたことにより捕鯨の効率は飛躍的に上がった。

高収益に惹かれて他の先進諸国も競って南極海に出漁するようになる。当時の南極海には大型鯨が群れ泳いでいて、例えば一九三〇／三一年の漁期にはシロナガス鯨二万八千頭などから鯨油五十八万トンが生産され、鯨油価格が暴落したほどだった。鯨油はマーガリン、薬品、ダイナマイトなどの化学工業の原料として重要な戦略物資となっていたのである。日本は一九三四年から南極海に出漁を始めている。

第二次世界大戦中は中断されていた南極海捕鯨は戦後いち早く再開される。生産調整と資源保護のため一九四六年に国際捕鯨取締条約が締結され、条約の取り締まり機関として国際捕鯨委員会（ＩＷＣ）が発足した。

その目的は「鯨類資源を保護しながら捕鯨産業の秩序ある発展をはかり、将来の世代に引き継ぐことである」と条約前文に示されているように、当初の加盟十五ヵ国はすべて捕鯨国で、ＩＷＣは捕鯨国のサロンのようなものだった。この中には後に強硬な反捕鯨国となるイギリス、アメリカ、オーストラリア、ニュージーランド、フランスなども含まれている。

資源保護が建て前ではあったが、当時は科学的な資源調査は行われておらず、南極海では相変わらず乱獲が続いていた。年毎の鯨の捕獲枠は鯨の種類は問題にせず、鯨油の量によってのみ決められており、しかも制限枠に達するまでは早い者勝ちの競争であった。おのずから採油効率のよい順に捕獲することになり、シロナガス鯨をはじめ大型鯨は急速に数を減らしていった。「オリンピック方式」と呼ばれたこの競争に勝つことを国威発揚の機会ととらえて、処理できない鯨まで捕って棄てることさえあったと伝えられており、この時代の南極海捕鯨には乱獲のマイナスイメージが色濃く残った。

鯨の保護管理の厳格化

自由競争方式が失敗と悟ったＩＷＣは一九六三年からは鯨種別の資源管理を採用する。ザトウ鯨、シロナガス鯨、ナガス鯨は全面捕獲禁止になり、その他の鯨も捕獲頭数を厳しく制限されるようになった。その後の一九七五年にはＩＷＣ科学委員会が鯨類資源を更に厳しく管理するための「新管理方式」を導入し、南極海で捕獲が許されるのはクロミンク鯨のみとなった。収益を鯨油生産のみに頼っていたイギリス、オランダなどは次々に南極海から撤退、残った国は日本とソ連のみとなった。

捕鯨から撤退した諸国にとって、「捕鯨産業の秩序ある発展をはかる」という国際捕鯨取締条約の目的は、意味のない他人事と化すことになる。それどころか立場を一転させて、今後も鯨を必要とする、食文化の違う国の捕鯨産業をことあるごとに攻撃するようになった。

鯨の権利運動と商業捕鯨モラトリアム

一九七二年、「国連・人間環境会議」がストックホルムで開催された。この会議では当時にわかに高まった動物の権利運動の思潮の中で、米国によって提案された「商業捕鯨の一〇年間中止勧告」が決議された。この決議は強制力のあるものではなかったが、同年開催されたＩＷＣ年次会議でも同じ提案が出される。この時は科学委員会の「科学的な根拠がない」との勧告によって否決された。

この時期からＩＷＣでは突如として反捕鯨勢力が台頭してくる。彼らは鯨を資源としてではなく、人間と同様の権利を持つ存在と考えるべきだと主張し続けている。「グリーン・ピース」に代表される地球環境保護を掲げるNGO団体は、欧米社会では日本人が想像できないような政治的影響力と資金力を持っていた。

彼らは多くの自派の科学者をIWCに送り込み捕鯨の全面禁止を図るが、イワシ鯨やミンク鯨については資源の健全性を論破できなかった。正攻法が通じないと知った彼らは、次には票数で押し切る策動を始める。一九七九年からのわずか三年間に、捕鯨とは全く関係の無いアフリカやカリブの小国など二十三もの国を条約に新加盟させ、反捕鯨票が捕鯨規則修正に必要な3／4を突破する事態となった。

一九八二年、科学委員会の反対勧告を無視して「一〇年間商業捕鯨モラトリアム」が決議される。その趣旨は「鯨類資源の把握が不正確であり」、「資源管理の方法として新管理方式に不備がある」ので、その検証のために十年間の猶予期間を設けるというもので、「遅くとも一九九〇年までには見直しを行う」という付帯条件がつけられていた。日本は条約で保証された権利に基づき、その検証に向けて南極海と北西太平洋で独自のサンプル捕獲調査（調査捕鯨）を始めた。ところが日本が毎年提出する調査結果は票決によって無視され、約束された筈の見直しは一度もなされないまま、この調査は三十年にわたって続くことになるのである。

日本が始めた調査とは別に、科学委員会は一九七五年以来「国際捕鯨調査一〇年計画」というフィールドワークを続けていた。一九九二年、蓄積されたデータを基に、先行の「新管理方式」よりさらに厳しい「改定管理方式」が、様々のリスクを想定した膨大なコンピュータ解析を経て策定され、科学委員会から発表された。これにより鯨の資源保全は幾重にも保証され、商業捕鯨を再開する為の条件が整ったのだった。

ところが反捕鯨派は、さながらゴールポストを動かすかのように、この管理方式にも科学的な不確実性が残ると主張し、更に別の管理制度を作る必要があると言い出す。しかも実行不能の条件を次々に持ち出したので、管理制度をまとめる為の作業部会は進退不能となり、以来ＩＷＣは煮詰まった状態が延々と続くのである。

アメリカ、イギリス、オーストラリア、ニュージーランドの四ヵ国は、「科学委員会でどのように資源保全が保証されようとも、あらゆる商業捕鯨に反対する」と公然と表明している。つまり彼らの反対の理由は、表向きに口にしている鯨の資源量や科学的確実性の問題などではなく、倫理的価値観、情念なのだ。科学的判断に対して情念で応じるのだから議論が噛み合う筈もなかった。

環境保護運動の背景

「国連・人間環境会議」が開かれた一九七二年は、どのような年だったのだろうか。ベトナム戦争は十年を経ても泥沼状態が続きアメリカ軍は敗色濃厚、国内には厭戦気分が満ちて反戦運動が盛り上がっていた。一方戦地ではアメリカ軍がナパーム弾でベトナムの森林を焼き尽くし、大量の枯れ葉剤を緑の大地と人々の頭上に撒き散らし続けていた。

この年、ニクソン大統領が突如中国を訪れ、毛沢東との会談を果たして世界を驚かせる。翌七三年には米軍が全面撤退し、戦争は終結したのであった。

地球環境保護とは正反対の犯罪的な行為を続けて、厳しい国際的非難を浴びていたアメリカとしては、ニクソン訪中の直後に開かれた「国連・人間環境会議」では、高邁な理想を語り、最も過激な環境保護の提案を行って汚名挽回を図る必要があったわけである。その象徴として担ぎ出されたのが鯨であり、「鯨を救えずに地球を救えるか」が会議のキャッチフレーズであった。

反捕鯨と、作られた鯨のイメージ

欧米社会の動物保護について研究しているノルウェイの人類学者アルネ・カランは近年の反捕鯨論に見られる視点のゆがみについて言及している。

反捕鯨論者たちは、以前とは全く違って科学的管理の下にある現在の捕鯨を論ずる時にも、かつて南極海で乱獲が行われた時代のネガティブな記憶を引きずって放そうとしない。そもそも彼らが保護しようとしているのは、現実には存在しない、想像上の鯨「スーパーホエール」なのだ、と指摘するのである。

カランが言う「スーパーホエール」は、さまざまの鯨のイメージをつぎはぎにして作られた架空の鯨である。地球上で最も大きな動物であるシロナガス鯨、最も大きな脳を持つマッコウ鯨、体重対脳の比率が人類に次いで高いハンドウイルカ、歌を歌うザトウ鯨、人なつこいコク鯨やイルカ、絶滅に瀕しているホッキョク鯨、などから都合の良い特徴を選り集めた上に、「高い知性を持ち、仲間や人間に対しては優しさを示す」という作られたイメージが加わり、人間と同様の権利を付与されるべき品位を持つに到るのである。このようなクジラ像はどのように作られたのか、その過程を見てみよう。

一九六三年に映画「フリッパー」が公開される。音声と身振りで人間と交流し、少年の友達として活躍するハンドウイルカの物語で、子供を中心に世界的な人気を集めたので一九六四〜六八年にはNBCテレビで「わんぱくフリッパー」シリーズが放映されることになる。三十年後にはリメイク版も作られている。

この頃、軍や政府の海洋空間への関心が高まったことも重なって、アメリカを中心に国際的なイルカブームが起こり、鯨類の知性や言語に関する研究が盛んに行われるようになった。

その代表的な存在がアメリカの脳科学者J・C・リリイである。リリイは人間とイルカが音声で「会話」するための実験をすすめ、メディアで注目されるようになる。結局その成果は纏《まと》まらず、研究は頓挫するのだが、リリイがイルカと共に過ごした研究の模様を記録した著作は大きな社会的反響を引き起こした。学術的な価値はほとんど認められていないにもかかわらず、それを下敷きにして鯨類を題材にしたSF小説などが盛んに書かれるようになり、現代のイルカ神話が大衆の支持を受ける契機となったのだった。

欧米では一九七〇年代から八〇年代にかけて一般向けの科学書、写真集、小説など鯨関係の出版物が次々に出されて「鯨＝海の知識人」のイメージが拡散されていく。鯨の声を録音したCDが作られ、映画「グラン・ブルー」ではイルカと人間の親密な交流が描かれた。このようなバーチャルリアリティの技術などの、「科学もどき」の手法を駆使したメディアの所産により、「スーパーホエール」は人々の心の中でリアリティーを持って泳ぎだすのである。

やがて環境保護団体の中の過激派「シー・シェパード」は、捕鯨をやめないノルウェイ、日本、アイスランドなどを攻撃するようになる。中でも日本の南極海調査捕鯨に対する妨害活動は二〇〇五年から始まり、年々過激度を増していった。

その手口は、調査船のスクリューを狙ってロープを投入する、船を衝突させる、有害薬品を投げつけるなど、いずれも極めて危険なテロ行為である。ついには南極海までヘリコプターを運び、母船の上を旋回させて、高速ゴムボートに乗った活動家が「体を張って捕鯨作業を妨害している迫真の映像」を撮影するに及んでいる。一体何故、莫大な費用と手間をかけてまでこんなことをするのだろうか、実はこの映像はアメリカの人気テレビ番組リアリティ・ショー「ホエール・ウォーズ」で放映するためのものだったのだ。このシリーズは人気を呼び、二〇一五年の「シーズン7」まで続いている。

二〇〇八年には映画「ザ・コーブ」が製作された。和歌山県太地《たいじ》町の伝統的なイルカ漁を告発するこの映画は、アカデミー賞長編ドキュメンタリー部門を受賞し世界的に話題になった。ストーリーは、主人公の環境保護活動家が、太地町で「密かに」行われているイルカ漁の犯罪性を暴く為に勇気ある撮影を敢行し、ＩＷＣに告発する、という勧善懲悪の物語である。東京映画祭でも上映の予定になっていたのだが、批判が噴出した。隠し撮りによるその映像の編集はあまりに一方的で、演出された場面も多く含まれていて、地元からは到底受け入れられない内容であった。

これらの事例は、「正義の側の一員として、鯨を助け、鯨を殺す者を懲らしめる現場に自分も立ち会いたい。」という視聴者の欲求を嗅ぎ取った制作者らによって、反捕鯨がメディア産業の絶好のマテリアルとなった好例であろう。

動物愛護の系譜

近代的な動物愛護の精神は十九世紀のイギリスで発展したと言われている。同国では一八二二年に「畜獣の虐待および不当な取り扱いを防止する法律」が成立、二年後には中産階級以上の人々を中心に「動物虐待防止協会」が設立されている。

その頃のイギリスでは階級社会の顕在化を背景に、「動物の扱い方で人間の社会的、道徳的地位が定まる」という考え方が形成されつつあった。明け透けに言えば、「スラムに住む移民や下層階級の人間は粗野で未教育だから動物を虐待するのであり、社会の健全性を保つためには彼らの衝動を抑える必要がある」と考えられていたのだ。歴史的には、動物愛護が階級差を反映する、ある種のシンボルだったことはあながち否定できまい。

比較文化学者 信岡朝子はその著「快楽としての動物保護」のなかで面白いことを指摘している。曰く、「近代的動物保護の思想は、その生成過程から十九世紀的な階級構造を宿命的に内包しており、ゆえに動物を保護したいという熱意の高まりは、今日においてもしばしば自分たちより下等で野蛮な『虐待する誰か』を発見し、攻撃したいという欲望と密接なつながりを持っているのである。」

辛辣に過ぎるようでもあるが、なかなか穿った見方ではないか。

鯨類と人類の関係

捕鯨反対論者の価値観がどうであろうと、現実の鯨類と人の関係を論ずる時、科学的観点を抜きにすることはできない。そもそもＩＷＣの運営は科学的観点を基本とすることが設立当初から謳われているのである。もちろん鯨類資源の保全は前提条件なのだが、その他にも見落としてはならない視点がある。

その一つは鯨が捕食する海洋資源の問題である。国連食糧農業機関（ＦＡＯ）の統計資料によれば、全世界の漁業者による年間の生産量は約九千万トン、一方鯨類の捕食量は、計算の仕方によって異なるが、二億八千万トンから五億トンと推定されている。人間が捕る数倍を鯨が捕食しているのだ。北太平洋で調査されたミンク鯨とイワシ鯨はサンマ、イワシ、スケソウダラ、サケ、イカ、シシャモなどを大量に捕食しており、日本の沖合漁業に打撃を与えている。

あまり報道されることはないが、世界中の海で起こっている鯨類による食害は深刻であり、イルカを含めて鯨は多くの漁業者にとって目の敵になっているのである。手厚い保護により鯨類が増えれば、事態がさらに深刻化するのは自明のことであろう。

もう一つは、捕鯨問題の根幹であり、日本が譲れない「資源としての鯨」の観点だ。たとえばクロミンク鯨の寿命が約五十年とすると、南極海で確定されたクロミンク鯨七十六万頭だけをとっても、毎年一万五千頭程度は自然死していることになる。地球全体の鯨では膨大な量だ。人口爆発で食料問題が喫緊の課題となっている人類にとって、この高蛋白・低カロリーの優良な食資源をみすみす失い続けるのはあまりに勿体ないことだ。

海洋資源の保全と有効利用が求められる時に、いつまでも鯨の権利の議論ばかりを続けることが正しいと言えるのか。際限のない鯨類中心主義は結局人間の生存権を脅かすことになりはしないだろうか。

参考文献

1　くじら紛争の真実、小松正之、地球社、二〇〇〇
2　鯨と捕鯨の文化史、森田勝明、名古屋大学出版会、一九九四
3　快楽としての動物保護、信岡朝子、講談社選書メチエ、二〇二〇

九、〔附録その二〕　さらばＩＷＣ

――国際捕鯨委員会の軌跡――

はじめに

捕鯨をめぐる近年の国際情勢は捕鯨国に対して極めて厳しく、日本の南極海捕鯨をはじめとして鯨にかかわる諸産業、食文化は逆風にさらされてきた。

このような事態になった根源は国際捕鯨取締条約の参加国の多くが捕鯨から撤退し、資源としての鯨に向き合わなくなったことにあると思われるが、直接的には一九八二年に条約の執行機関である国際捕鯨委員会（ＩＷＣ）の会議で「商業捕鯨十年間モラトリアム」が採択されたことに端を発している。

国際捕鯨取締条約の目的は、本来、鯨類資源の保護と捕鯨産業の両立をめざすものであるにもかかわらず、商業捕鯨モラトリアムは延々と続けられており、一向に解決の兆しが見えない。

二〇一八年十二月、日本政府はついに国際捕鯨取締条約からの脱退と自国のＥＥＺ（排他的経済水域）内での商業捕鯨の再開を表明した。一九八八年の商業捕鯨中止以来三十一年ぶりに新たなステージへと歩み出すことになったわけだが、将来への見通しは混沌としているとしか言いようがない。

筆者は、はしなくも最後の南極海調査捕鯨となった二〇一八／一九年期の航海に、捕鯨

母船　日新丸に船医として乗船する機会を得た。この機会に入手できる範囲の資料や文献に目を通し、現場で見聞したことも交えて私なりに理解したＩＷＣの歴史と問題点について記してみたい。

ＩＷＣ　前史

一八五九年に米国で初めて油田が発見され、石油生産が開始される以前には、諸産業で用いられた最も重要な油は鯨油であった。鯨油は機械油であり、照明用油、石鹸・ろうそくなどの工業製品の原料でもあった。ヒゲ鯨類のヒゲも需要が多く高価であったので、イギリス、オランダ、ノルウェイ、アメリカなどでは十七、八世紀には北海、大西洋、北極海で大型帆船による捕鯨が高収益をもたらす産業として栄えた。

ヒゲ鯨類のヒゲというのは鯨が餌の魚や甲殻類を海水から梳き取って捕食するための櫛の歯状の軟骨組織で、強靭で弾力性に富む素材として重宝され、傘や婦人用のコルセット、ペチコートをはじめ各種工芸品の材料として用いられた。

十九世紀初め頃には北極海から大西洋にかけての鯨類資源は枯渇してしまい、漁場はホーン岬を越えて太平洋に移る。やがて北西太平洋でマッコウ鯨の好漁場が発見されると三〇〇隻に上る捕鯨船が日本近海に出漁するようになる。捕鯨船への補給確保がペリー艦隊が日本開国を迫って来航した目的の一つであったことはよく知られている通りである。ところが石油生産が始まり、同じ頃にカリフォルニアで金鉱が発見されると捕鯨に注がれていた資本と労働力は急速に方向を転じて、帆船式捕鯨はたちまち終りを迎えた。

二十世紀を迎えるとアメリカの鯨捕り達に代わって南極海での母船式遠洋捕鯨がノルウェイとイギリスによって開拓され、近代捕鯨の時代が開幕する。新式の捕鯨砲と、母船の船尾から鯨を引き込むスリップウェイという装置が開発されたことにより捕鯨の効率は飛躍的に上がり、高収益に惹かれて欧米の他の諸国も競って南極海に出漁するようになった。

当時の南極海にいかに鯨が多かったかは、例えば一九三〇／三一年の漁期には四十一統の捕鯨船団が、五十八万トンもの鯨油を生産したので鯨油価格が暴落したことが示している。

生産過剰のために痛手を被る一方、資源枯渇への危惧の声も出てきたことが、捕鯨産業の継続のためには生産調整と資源保護が欠かせないと認識される契機となった。

二十世紀初頭に液体の鯨油を固体に変える「硬化油処理法」が実用化されたことによって鯨油の用途は飛躍的に拡大した。石鹸製造の副産物として生産されるグリセリンは爆薬の原料に、マーガリンは労働者向けの重要な食品として不可欠となり、鯨油は重要な戦略物資と位置付けられ、一九三〇年代後半には欧州市場で奪い合いが起きるほどだった。

日本は一九三四年から南極海捕鯨に参加し、五年後には六隻の捕鯨母船が出漁して活況を呈したが、この頃は日本の捕鯨船団も食用肉よりも鯨油生産を優先し、国際市場に売却して外貨を稼ぐ事が国策であった。

一九三七年、ロンドンで開催された国際捕鯨会議で「国際捕鯨取締協定」が結ばれ、鯨類の適切な保存をはかることが同意された。この会議ではセミ鯨とコク鯨の全面捕獲禁止が議決されたが、取り締まり機関が伴わなかったのでさほど有効な機能は果しえなかった。この会議に日本は出席はしているが、協定への署名はしていない。

第二次世界大戦中には各国とも捕鯨は中止され、中でも日本の捕鯨船は元々軍事用に転用することが想定されていたこともあって、ほとんどが撃沈されている。

ＩＷＣの設立

大戦終結直後の一九四六年、国際捕鯨取締条約（ＩＣＲＷ）が締結された。この条約の目的は「鯨類資源を保護しながら、捕鯨産業の秩序ある発展をはかり、将来の世代に引き継ぐことである」とその前文に示されている。条約は本文と捕鯨を行うにあたっての規則を定めた附表からなっている。

発足時の条約署名国は全てが捕鯨国であり、オーストラリア、カナダ、フランス、オランダ、ノルウェイ、南アフリカ、イギリス、アメリカ、旧ソ連、ブラジル、デンマーク、ニュージーランド、アルゼンチン、チリ、ペルーの十五ヵ国である。

一九四八年に条約の捕鯨規制の執行機関として国際捕鯨委員会（ＩＷＣ）が発足した。ＩＷＣはイギリスのケンブリッジに事務局を置き、下部組織として科学委員会、技術委員会、財政運営委員会、および折々の諸問題を処理するための付属委員会がおかれている。

ＩＷＣの会議は毎年一回開催され、科学委員会が本会議の前に鯨類資源にかかる審議を行って勧告と報告を提出し、本会議はそれを受けて開催される。技術委員会と財政運営委員会は本会議の指示を受けて会議期間中に開かれることになっている。

ＩＣＲＷには捕鯨との関係の有無を問わず、分担金を払いさえすればすべての国が参加を認められ、ＩＷＣの会議で投票権が与えられる。会議の議決は多数決で行われるが、捕鯨規制の内容を左右する附表の修正を伴う時には四分の三の票が必要で、逆に言えば四分の一で附表修正を阻止することができる。

また、附表の変更を含むいかなる議決に対しても、手続きに従って異議を申し立てれば、拘束されない権利が保障されている。これは参加各国の事情を尊重することにより脱退を防ぎ、条約を維持するための配慮と言えよう。

日本は対日講和条約調印後の一九五一年にこの条約に加盟している。

ＩＷＣのあゆみ

元日本鯨類研究所所長の故 大隅清治氏（一九三〇〜二〇一九）は、一九六七年以来四十年以上にわたってＩＷＣ本会議および科学委員会に出席し続けており、「ＩＷＣのあゆみの生き証人」と呼ぶべき研究者である。氏はその著書「鯨を追って半世紀」の中で、ＩＷＣがたどってきた歴史を時期区分して解析している。そこで、氏の見解を参考にしながら、その過程をたどってみることにしたい。

【第一期（一九四九〜六〇）：ＩＷＣが捕鯨国のサロンであった時代】

第一回ＩＷＣ年次会議は一九四九年にロンドンで開かれている。この時は、鯨油が生産過剰に陥らないようにするための調整が会議の主な目的という趣旨が強かった。

この会議で捕鯨頭数の計算基準として「シロナガス単位」（ＢＷＵ・ブルーホエールユ

ニット）が採用された。これは最大の鯨、シロナガス鯨一頭を基準の一単位として、他の鯨種を採れる鯨油の量によって格付けし、例えばイワシ鯨なら六分の一単位などと換算して捕鯨頭数を算定するやり方である。

鯨種別の資源量を無視したこの方法が採られたために、採油効率を求めて油量の多い鯨種の順に捕獲することになり、シロナガス鯨を始め大型鯨の資源は決定的な打撃を受けることになった。

具体的な規制の方法は、先ずその年の南極海の総捕獲枠がBWUを用いて示され、出漁中の各船団はノルウェイにある国際捕鯨統計局に一週間ごとに捕獲頭数を報告する。そこで集計された頭数がその年の制限枠に達した時点で各船団に捕鯨の終了が通達される、という手順であった。勢い捕獲は早い者勝ちになって、当時「捕鯨オリンピック」と呼ばれた乱獲競争につながった。特に敗戦で劣等感を味わっていた日本は、競争に勝つことを国威発揚と捉えて母船の処理能力を超えて捕獲し、折角捕った鯨をバンパー代わりに使ったり、廃棄することさえあったという。十分な資源調査が出来ておらず、後に捕鯨船の乗組員自身が「あの頃はひどかった」と語ったほどの無軌道が行われた時代であった。

ちなみに一九六一／六二年漁期の南氷洋捕鯨母船の数は日本三隻、イギリス三隻、ノルウェイ九隻、ソ連、オランダ、南アフリカ、パナマ各一隻であった。この年は総計一四，八四四ＢＷＵが捕獲され、さらにマッコウ鯨は別枠扱いで六,〇一九頭が捕獲されている。

【第二期（一九六〇〜七二）：科学的資源管理方式が生まれる時代】

この時期から、鯨類資源科学はデータ蓄積と解析の時代に入り、やがてその成果は新たな管理方式に反映されるようになっていく。一九六三年には自由競争方式は捕鯨枠を国別の捕獲割り当てによって制限する方式に変更された。

科学委員会には南極海の主要鯨類の資源評価を行うための資源力学の専門家による「三人委員会」が設置され、彼らが一九六四年に提出した報告書に基づきシロナガス鯨、ザトウ鯨は全面捕獲禁止、他の鯨種も鯨種別に捕獲規制することが決められた。

南極海の鯨捕獲枠は一九六二／六三年の漁期には一五,〇〇〇ＢＷＵであったものが一九六六／六七年には三,五〇〇ＢＷＵ、一九六九／七〇年には二,七〇〇ＢＷＵと急速に縮小され、一九七二年にはＢＷＵ制そのものが廃止された。

捕鯨の収益を鯨油生産のみに頼っていたイギリス、オランダなどの西欧諸国は規制によって事業続行が困難となり、次々に南極海捕鯨から撤退した。一九七〇年にはノルウェイも撤退したので母船式捕鯨を行う国は日本と旧ソ連のみとなり、沿岸捕鯨を加えても、捕鯨国はＩＷＣ加盟国の半分程となった。このような事態の背景には石油化学の発達により鯨油の需要が減ったことも影響している。

【第三期（一九七二〜八二）：捕鯨規制が更に厳格化する時代】

捕鯨規制強化の傾向はその後も続き、一九七五年には科学委員会が主導して新たな捕鯨基準、「鯨類資源の新管理方式（ＮＭＰ）」が採用された。南極海での操業はクロミンク鯨のみに制限されるようになり、日本ではこれに対応して従来の大洋漁業、日本水産、極洋漁業の捕鯨三社を統合して日本共同捕鯨株式会社が設立された。

一九七二年、ストックホルムで「国連・人間環境会議」が開催された。この会議では、当時にわかに高まった環境保護運動の思潮の中で、米国によって提案された「商業捕鯨の十年間の中止勧告」が決議された。この決議に強制力はなかったが、同年開催されたＩＷＣ年次会議でも同じく捕鯨モラトリアム提案が提出される。この提案は科学委員会の「捕鯨の全面中止は科学的に正当化されない」との勧告によって否決された。

否決はされたものの、モラトリアム提案の議事が紛糾したため、科学委員会は南極海の鯨類資源の科学的根拠を得るために、ＩＷＣ自らによる調査を行う事を勧告した。この勧告は採択され、科学委員会主導のもとに「国際捕鯨調査十年計画（ＩＤＣＲ）」が始動することになる。

その一環として、南極海ではクロミンク鯨の目視による資源調査が各国の海洋学者が参加して一九七八年から始まった。この頃には日本以外の国には南極海で鯨を探査できる船舶も、特殊技術である目視能力を持つ乗組員も失われていたので、数隻のキャッチャーボートを乗組員付きで日本が提供し、多大の費用も負担している。一九九一年にまとめられたその成果については後述するが、この調査は引き続き二〇〇九年までは南太平洋、二〇一〇年以降は北太平洋、と調査海域を変えながら続けられている。

この時期からIWCでは突如として反捕鯨勢力が台頭してくる。「グリーン・ピース」など十指に余る環境保護を掲げるNGO団体がIWC本会議にオブザーバー参加し、米国、イギリス、オーストラリアなどの政府に政治的な働きかけを行うようになる。彼らの主張は「人間と同様の権利を鯨にも与えるべきだ」という言葉に象徴されている。

捕鯨から撤退したこれらの政府にとって「捕鯨産業の秩序ある発展をはかる」という条約の目的は無縁のものとなっており、環境保護団体の政治的圧力に押されて捕鯨反対の立場をとるように変わっていった。

反捕鯨勢力は科学委員会に捕鯨反対派の科学者を多数送り込み、全面捕鯨禁止を実現しようと画策したが、南極海のクロミンク鯨、北太平洋のニタリ鯨などについては資源の健全性という科学的根拠を突き崩すことはできなかった。

科学的な論議を経て決議を得る、という正攻法が通用しないと見切りをつけた反捕鯨勢力は、次には自陣に賛成する加盟国数を増やす手段に訴えるようになる。豊富な資金と政治的影響力を使って、一九七九年からのわずか三年間に捕鯨とは全く縁のないアフリカやカリブ海の小国など二十三もの国を新たに加盟させ、反捕鯨国の占める割合は附表修正に必要な四分の三を超える事態となった。この時に加盟し、商業捕鯨モラトリアム成立に寄与した国のうちの半分はその後脱退もしくは分担金未納で失格している。

【第四期（一九八二～九七）：捕鯨モラトリアムの実施、反捕鯨勢力の傍若無人の時代】

一九七二年に十四ヵ国であった条約加盟国は一九八二年には三十九ヵ国となり、科学委員会の「いくつかの鯨種には捕獲枠を設けるべきである」との勧告を無視して、ＩＷＣ総会で十年間商業捕鯨モラトリアムが決議され、一九八六年から実施されることになった。

この決議は、条約の第5条にある「附表修正は、科学的認定に基づき、鯨の生産物の消費者及び捕鯨産業の利益を考慮に入れたものでなければならない」という規定に明らかに抵触しているのだが、その指摘は無視された。

これに対して日本はノルウェイ、ソ連、ペルーと共に異議申し立てを行った。先に述べたように、異議申し立てを行った国には修正事項は適用されないことになっており、ノルウェイはこのルールによって一九九三年に沿岸捕鯨を再開している。ところが日本は、アメリカから「異議申し立てを撤回しなければ、アメリカの二〇〇海里内の漁場から日本漁船を排除する」という脅しを受けて一九八六年に要求に屈してしまった。

当時、日本は捕鯨による生産額の十倍以上に当たる年間一，三〇〇億円分の鮭鱒漁を同海域でおこなっていたのである。ところが商業捕鯨を犠牲にしてまで守ろうとした北洋漁業は、日本が調査捕鯨を開始したことを理由にわずか三年後にはアメリカの二〇〇海里水域から締め出されてしまった。国際条約で保証された正当な権利である調査捕鯨を、アメリカは国内法によって否定したのである。外交交渉の拙劣とアメリカの欺瞞により、日本は「鯨と鮭鱒の両方」を失う結果となった。

商業捕鯨の十年間モラトリアムが決議された理由は、「鯨類資源の把握が不正確である事」と、「資源管理の方法として新管理方式（ＮＭＰ）に不備がある」というものであり、この決議には「遅くとも一九九〇年までにはモラトリアムを見直す」という付帯条件がついていた。その意味するところは、鯨類資源を調査し、管理方式を見直すために猶予期間（モラトリアム）を設ける、ということである。その見直しに向けて、日本は南極海および北西太平洋で独自の鯨類捕獲調査（調査捕鯨）を開始した。

この時期、捕鯨賛成国はＩＷＣ参加国の四分の一を割っており、反捕鯨勢力は思うままにＩＷＣの議事を運営するようになった。科学委員会から出される勧告が本会議においてしばしば無視され、これに憤慨した科学委員会の会長が抗議の辞任をしたこともあった。

一九九三年には「南緯四〇度以南の南極海全体を鯨類の保護区（サンクチュアリ）にする」という提案がフランスから提出され、翌年には決議された。日本はクロミンク鯨について異議申し立てを行っているが、反捕鯨勢力はモラトリアムが解除されても南極海商業捕鯨は許されない、という二重の縛りを得たと主張している。

この時期、反捕鯨団体のシー・シェパードは、日本が南極海で実施している調査捕鯨や、ノルウェイの沿岸捕鯨に対して暴力的なテロ活動を激化させていった。

【第五期（一九九七～二〇〇五）：ＩＷＣが機能不全に陥る時期】

一九九七年、ＩＷＣ参加国中の捕鯨支持国数の割合が再び四分の一を超えたことにより、条約の附表の改定を伴う反捕鯨国の提案は否決されるようになった。例えば一九九八年からオーストラリアなどが提案している「南太平洋鯨類サンクチュアリ」と、ブラジルなどが提案している「南大西洋鯨類サンクチュアリ」はいずれも否決されている。

また、ＩＷＣでは従来ＮＧＯの本会議へのオブザーバー参加は認められていたが、マスコミの入場は禁止されており、この事が反捕鯨勢力の恣意的な情報伝達による世論操作に利用されていた。これを改めて一九九九年からはマスコミの入場が認められるようになったので、捕鯨に関する公平な一般理解が進む一助となった。

科学委員会は先に述べた「国際捕鯨調査十年計画（ＩＤＣＲ）」によって集積された調査結果と解析を一九九二年に発表し、南極海のクロミンク鯨の推定数を七十六万余頭と報告、ＩＷＣ本会議で承認された。日本の予想よりさらに多いこの数は南極海の鯨類資源の回復を裏付ける結果であった。

時を同じくして、科学委員会は海洋資源学者や統計学者を動員して資源解析を行い、膨大な量のコンピュータ・シミュレーションを行って新管理方式（ＮＭＰ）に代わる新たな改定管理方式（ＲＭＰ）を策定した。これは提出された五つの中から最も保護色の強い案を選び、管理にミスがあっても資源には影響が及ばないように配慮した、科学の不確実性をも織り込んだ方式である。モラトリアム決議の理由であった「管理方式の不備」はこれによって解消され、商業捕鯨再開への道筋が開かれたのだった。

ところが、反捕鯨国側はＲＭＰにもまだ科学的な不確実性が残ると主張し、これを実施するためには更に改定管理制度（ＲＭＳ）を作る必要があると言い出す。しかもその内容に現実的に実行不可能の条件を次々に持ち出し続けた。

モラトリアムの理由としてあげられていた二つの課題が克服されたことを、科学委員会が報告しているにもかかわらず見直しに応じないのは、勝手にゴールポストを動かす行為に他ならない。このようなサボタージュ行為によりRMS作業部会は行き詰まり、二〇〇六年には論議の中断を決定して制度をまとめる努力を放棄してしまった。かくしてIWCは機能不全の状態に陥ったのである。

反捕鯨勢力の中核をなすアメリカ、イギリス、オーストラリア、ニュージーランドの四ヵ国は、「科学委員会でどのように万全の資源保全が保証されようとも、あらゆる商業捕鯨に反対する」と公然と表明し続けている。

【第六期（二〇〇五～二〇一八）：機能不全の修復不能が続く時期】

二〇〇六年、カリブ海の島国セントキッツ・ネビスで開かれた第五十八回IWC年次会議において、「機能不全に陥っているIWCの正常化をIWCとして約束する」旨の決議が行われた。しかし期待されたこの決議もその後の建設的な展開には結びつかず、両勢力共に票数四分の三には達しないまま本会議の機能不全状態はその後も延々と続いている。

【第七期（二〇一八～　）：日本のIWC脱退】

二〇一八年十二月、日本はついに国際捕鯨取締条約およびIWCからの脱退と自国のE

ＥＺ（排他的経済水域）内における商業捕鯨再開を表明した。

条約脱退の理由は幾つか考えられるが、先ず第一には改定管理方式（ＲＭＰ）の実施に向けた歩み寄りがなく、モラトリアム解除の見通しが立たないことに見切りをつけた結果と言えよう。また調査捕鯨は開始からすでに三十年を経過し、鯨類資源調査とＲＭＰを裏付ける為のデータは十分積み重ねられており、これ以上続行する意義は少ないとの判断もあったと思われる。それに加えるに、条約で保証された「異議申し立てにより議決に拘束されない権利」さえも、我が国は先に触れた通りアメリカからの鮭鱒漁に関わる恫喝により失っていることを抜きにはできない。

二〇一九年七月から日本は商業捕鯨を再開した。再開一年目の捕獲目標頭数はＲＭＰを最も厳しく適用した数よりもさらに少なく設定して、様子見をしているようである。

今後の世界の捕鯨をめぐる展開は今のところ五里霧中というほかないが、日本脱退後のＩＷＣの動きには注目しておく必要があるだろう。

ＩＷＣの変容と反捕鯨の背景

これまでＩＷＣがたどってきた軌跡を見て感じる事は、世界に数ある国際条約の中でも、国際捕鯨取締条約と国際捕鯨委員会（ＩＷＣ）ほど、その目指すところが変容した例はないのではないかということだ。

一九四六年に締結された時の同条約は「鯨類資源と捕鯨産業の両立」を目的としたものだったが、一九八二年の商業捕鯨モラトリアム決議以降は「鯨の権利の保護」が目的であるかのような様相を呈している。人間主体から鯨類主体に転換したと言い換えてもよいだろう。

このような不思議な変容は如何にして起こったのだろうか、反捕鯨国の反対の理由は本当に鯨の権利の保護だけなのか、その背景について私見を交えつつ、考えてみたい。

まず第一に踏まえておくべきは、一九六〇年代に採算が合わなくなった為に南極海捕鯨から撤退したイギリス、オランダ、南アフリカなどの国々、および既に捕鯨を止めていたアメリカ、オーストラリア、ニュージーランドなどは、条約の目的とする「捕鯨産業の秩序ある発展を図る」立場から離れているということだ。彼らにとって産業としての捕鯨は、どうなろうと痛くも痒くもない問題になったのである。

そこに起こってきたのが地球環境保護を掲げるNGO団体の運動である。彼らは環境保護の象徴としての「鯨を守る正義の戦い」の場としてIWCを利用し、日本に代表される捕鯨賛成国を悪の勢力としてスケープゴートにしてきたという図が読み取れるのである。日本にとっての捕鯨は、維持発展をはかるべき産業の問題であり、食文化の問題である。一方、反捕鯨国にとってはそれに反対することによって、動物愛護や倫理的価値観を訴える対象であるに過ぎない。

反捕鯨側にとっての捕鯨論争は、勝てば楽しく、負けても痛痒を感じない、かといって譲る必要もないという余裕ある立場を楽しむ場であるように見える。このような土俵に否応なく引き出された日本は、何の落ち度もないのに割に合わない目に遭っているというわけだ。

食の観点から見ると、捕鯨によって日本が蛋白質資源を獲得する事は、外国産畜肉に代わる食肉自給の道であり、日本を上得意とする食肉輸出国にとっては由々しき事態となりうる。かつて家庭料理や学校給食で鯨肉に親しんだ世代のような、新たな鯨大好き世代の出現は何としても阻止したいところであろう。その食肉輸出国の顔ぶれがアメリカ、オーストラリア、ニュージーランドと、教条主義的反捕鯨国とピッタリ符合するのは偶然ではありえないだろう。

もう一つ、南極海捕鯨を地政学的観点から考えてみたい。南極大陸および南極海に関しては、一九五九年に採択された「南極条約」によって領有権の凍結と平和利用の原則、科学調査の枠組みが同意されている。

しかし南極大陸には十九世紀以来、諸国が競合した探検と領土宣言の歴史がある。「南極条約」の批准国五十四ヵ国の中には、かつて主張していた領土権について、凍結には合意するが放棄はしないとするクレイマント国と呼ばれる七ヵ国と、領土権は主張しない代わり他国の領土権も認めないノンクレイマント国とがある。

そして教条主義的反捕鯨四ヵ国の内、米国以外の英国、オーストラリア、ニュージーランドはクレイマント国であり、中でもオーストラリアは南極大陸の四割強を領土と主張している。彼らには「今は権利を留保しているが、南極大陸は自国の裏庭だ」という認識があると考えるのがむしろ自然だろう。その庭先で日本人が鯨を求めてウロウロするのは目障りと思う気分がない筈はなかろう。

更にもう一つ、日本には一九七八年以来、長年にわたって科学委員会が主催する「国際捕鯨調査十年計画（ＩＤＣＲ）」およびそれに引き続く資源調査を資金・技術の両面で支えてきた実績がある。そして勿論、一九八七年以降は三十年にわたり独自の大規模フィールドワークである鯨類捕獲調査（調査捕鯨）を南極海と北西太平洋で続けてきた。今や唯一の鯨資源情報の収集国であり、南極海における調査能力と捕鯨能力の保有国である。将来ＩＷＣがまともに運営されるようになり、世界の鯨肉供給の要望に応えて南極海などで捕鯨が再開される日が来れば、日本は当然鯨類資源管理と捕鯨に関するリーダーシップを発揮することになる。反捕鯨勢力としては、このような事態はなんとしても回避したいところだろう。

以上のように、ＩＷＣが変容してきた背景と商業捕鯨モラトリアム解除を阻む要因を考えるとき、日本のＩＷＣ脱退は起こるべくして起こった帰結なのかもしれないと思えてくるのである。

日本が脱退した後には、南極海での鯨類資源調査の担い手はいなくなる。ＩＷＣ科学委員会が主催して「国際捕鯨調査十年計画（ＩＤＣＲ）」に引き続いて行われている目視主体の資源調査も、日本の援助なしには続行は困難だろうし、データと資金の提供者を失った科学委員会が果たし得る機能は極めて限られたものとなるだろう。

ＩＷＣは今後どのような道を歩んでいくのだろうか。資源科学の裏付けもなく、「反捕鯨」のお題目を唱え続けるだけであるとしたら、その存在意義は極めて疑わしいものになると言わざるを得ない。

〈参考文献〉

1　鯨を追って半世紀 ―新捕鯨時代への提言―、大隅清治、成山堂書店、二〇〇八
2　くじら紛争の真実、小松正之編著、地球社、二〇〇一
3　国際捕鯨取締条約（ICRW）、一九四六
4　日本鯨類研究所三〇年史、一般財団法人日本鯨類研究所、二〇一八
5　鯨と捕鯨の文化史、森田勝明、名古屋大学出版会、一九九四

あとがき

私は二〇一八年十二月から翌年三月にかけて、捕鯨母船 日新丸に船医として乗り組み、南極海調査捕鯨を目の当たりにする機会に恵まれた。九州の地方都市の勤務医である私が、このような経験をすることになったのは、三年前に海上保安大学校の航海練習船で世界周航に帯同した時の体験記を書いたことが因縁になっていて、なかなか不思議な巡り合わせだったと言わねばなるまい。

今回の話が突然舞い込んだ時には船団はすでに南極に向けて出航していたので、私はなんとかして船にたどり着かなければならなかった。その手だてとして、燃料を南極海まで届けに行くロシアのタンカーに便乗し、思いもかけずロシア人達と三週間をともに過ごすことになったのだった。過ぎてみればこれも又得難い経験で、日本語に堪能なロシア青年との交流は興味深いものだったし、彼らの親切さと、年越しパーティーのロシア料理の味は忘れ難い記憶となって残った。

世界中の六つの港に立ち寄った前回とは違って、この度は四ヵ月間全く無寄港の航海だった。わずかに南極大陸を垣間見た以外は、海と空と流氷を眺めるだけの日々だったのだが、船上の生活は私にとっては非日常の世界、毎日何かしら刺激的なことがあって退屈するようなことはなく、荒天が続いても海況の変化を楽しむ気分があった。

柄にもなく医学書を勉強する気を起こしたり、せっせと日記を書いたり、普段ならば連絡することもない友人達にメールを送ったり、などと、日頃勤勉とはほど遠い毎日を送っている私が別人のようなマメ男になったのは、拘禁状態に近い環境の所為か、潮風のなせる業なのか、少なくとも久し振りの節酒生活の影響は間違いなくあったと思われる。

日新丸のブリッジの書棚には南極についての科学書や、「日本鯨類研究所」発行のパンフレット、大隅清治氏を始めとする鯨類学者の著作などが置いてあったので、借り出して読んでみた。それらの資料に記されている国際捕鯨委員会(IWC)の歴史や、捕鯨を巡って我が国が置かれている立場などが分かってくるにつれて、世界の反捕鯨勢力の言い分が身勝手に思われて、日本の捕鯨の応援団の気分に傾いていくのが止まらなくなった。船で供される鯨料理がどれも皆素晴らしく美味しかったことも相俟《あいま》って、いつの間にか勝手に捕鯨賛成で盛り上がり、挙句には「日本の捕鯨擁護論」のような文章迄書いてしまうことになったのだった。

タンカーが南極海に達する頃、日本政府が二〇一九年に国際捕鯨取締条約、および、それに付随するＩＷＣから脱退すると表明したことが伝わってきた。ということは、三〇年にわたって続けられた南極海調査捕鯨は今回が最後になるということだ。今後鯨を巡る国際情勢が劇的に変化することでもない限り、我が国の捕鯨船が再び南極海で操業することはないだろう。大げさな言い方をするなら、「一九二三年に初めて図南丸船団が南氷洋に出漁して以来、九十五年目にして最後の南極海捕鯨」ということになる可能性が高いと思われるのだ。

この本の巻末に「附録」として載せている「反捕鯨の構造」と「さらばＩＷＣ」の二編は、最後の南極海調査捕鯨に参加できたことに因む私のレポートのようなもので、歳甲斐もないテンションに辟易なさる向きもあるかもしれないが、騎虎の勢いのなすところ、とご理解いただき、御笑覧下されば有難い。

このたびの出版にあたって、出版元からは、本の体裁上ある程度の原稿の分量を求められた。そこで、今まで書きためていた随筆の類いを六編、併せて収録する事にした。

そのうち二編は当市で毎年発行されている佐世保文化協会の機関誌「火の国」に投稿したもので、「佐世保の地形を楽しむ ―吉富一先生の二冊の著作から―」と、「『吉田兼好』はいなかった」がそれに当たる。その他の四編はいずれも大学の同門会誌、医師会報などに投稿したもので、奄美大島で同姓の方と邂逅した話の他は、折々に読んだ書物の中から印象深かったものについて感想を加えて紹介している。鯨や航海とは何の関係もないのだが、ついでに読んでいただければ幸いだ。

こうして二回目の航海を終えて、二冊目の航海記を書く次第になってみると、普通なら望むべくもないようなお誂え向きのチャンスによくも巡り遭うことが出来たものだ、という感慨が湧いてくる。わだつみの神様に少しは気に入ってもらっているのかもしれない、というのが私の勝手な思い込みだ。

年齢も七〇歳を過ぎた今となっては、この先船に乗るような機会があるとも思えないが、「また行くか?」と問われれば迷わず「行きたい」と答えるだろう。いつの間にか私の中には陸上の生活よりも海の上の方が快適、と感じる体質が醸されているようでもある。万一あるかもしれないそんな事態に備えて、せいぜい節制に心がけてボケないようにしたいもの、と思っている。

謝辞

航海中、環境に慣れない高齢者にお気遣いを頂いた日新丸および関係の皆様に深謝し、また、オーロラの写真など素晴らしい映像を本書中に使うことをお許しいただいた日本鯨類研究所の担当者様にお礼を申し上げる。併せて日新丸船団、およびロシアタンカー・エベキノート号の航海の平安を祈念したい。

出版に当たってご助言を頂き、「まえがき」をご執筆くださった佐世保文化協会会長の小西宗十先生には、いつもながらのご厚情に感謝するばかりだ。又前作に引き続いて芸術性豊かな装丁と挿画とをご提供くださった大石 博画伯、並びにお世話になった芸文堂の中村徳裕社長、前川竜人氏に深謝する。

著者　萩原　博嗣　白

二〇一一年　初秋

萩原　博嗣（はぎはら　ひろし）

一九五〇年　北松浦郡江迎町（現佐世保市）に生まれる
一九六八年　長崎県立佐世保北高校卒業
一九七六年　九州大学医学部　卒業
　　　　　　同　整形外科学教室に入局
一九八六年　佐世保共済病院　整形外科医員
二〇〇八年　同　副院長
二〇一五年　同　定年退職
　　　　　　同　整形外科顧問（再雇用）
二〇一八年　同　退職
二〇一九年　社会福祉法人 大空の会
　　　　　にじいろ診療所 所長

南極海調査捕鯨 航海記

令和三年十一月三〇日 第一版 発行

著 者 萩原 博嗣
発行者

発行所 芸文堂
佐世保市山祇町十九－十三
電話（〇九五六）三一－五六五六

印 刷
製 本 エスケイ・アイ・コーポレーション

ISBN978-4-902863-75-8C0026 ¥1200E